Centre international d'études pédagogiques

Commission nationale du DELF et du D

Réussir le

Niveau B1 du Cadre européen commun de référence

Dominique Chevallier-Wixler
Yves Dayez
Sylvie Lepage
Patrick Riba

Table des crédits

p. 25 : Owen Franken/Corbis (A) ; Juan Mora (B) ; Hachette Livre – Photothèque (C) ; Petra Niggemann (D) ; Abdel Ouddane (E) ; Sylvie Baudet (F) – **p. 27 :** Photo Bank Yokohama/Hoa-qui (A) ; D.R. (B) ; Abdel Ouddane (C) ; Juan Mora (D) ; I. Dayez (E) ; Christophe Valentin/Hoa-qui (F) ; Sécurité Routière (ex. 14 : B, C) – **pp. 47-48 :** Nous remercions WWF, Médecins du Monde et Aide et Action – **p. 51 :** Nous remercions la Cité des Sciences et de l'Industrie – **p. 55 :** La Comédie Françoise – **pp. 66-67 :** Ville de Cabourg – **p. 97 :** Wojtek Buss/Age Fotostock/ Hoa-qui – **p. 110 :** Gazette de l'Université d'Ottawa, « Tous droits réservés-Université d'Ottawa » – **pp. 120, 121, 126 :** Radio France.

CD Audio : plage 21, 24, 60, 61 : Radio France.

Nous avons recherché en vain les éditeurs ou les ayants droit de certains textes ou illustrations reproduits dans ce livre. Leurs droits sont réservés aux Éditions Didier.

Illustrations
Dom Jouenne : pages 9, 39, 71, 89.
David Scrima : pages 27, 28, 50, 55, 91, 92, 94-96, 100, 104.

Conception graphique couverture : Michèle Bisgambiglia
Conception graphique intérieur : Isabelle Aubourg
Mise en page : Nicole Pellieux
Photogravure : Eurésys

 ISBN 978-2-278-05753-5 Imprimé en France

SOMMAIRE

PRÉFACE

Le DELF, Diplôme d'études en langue française, et le DALF, Diplôme approfondi de langue française, sont les certifications officielles du ministère français de l'Éducation nationale en français langue étrangère. Depuis leur création en 1985, près de 3 000 000 de candidats se sont présentés à ces épreuves organisées dans 154 pays.

Ce succès s'explique en partie par l'émergence d'une société de la mobilité, plus exigeante en terme de formation. Vous êtes nombreux à apprendre des langues étrangères et le français en particulier et nous vous en félicitons, nous qui œuvrons pour la construction d'un monde plurilingue.

Le DELF et le DALF ont aussi construit leur succès sur des qualités qui font leur force : réflexion pédagogique, pertinence de l'évaluation et qualité du dispositif. Leur harmonisation sur le *Cadre européen commun de référence pour les langues* et la création de 6 diplômes correspondant aux 6 niveaux du Cadre s'inscrivent dans cette dynamique.

La Commission nationale du DELF et du DALF est associée de longue date aux Éditions Didier dans la conception d'ouvrages d'entraînement aux certifications officielles françaises (DELF-DALF et TCF), et je suis sûre que cette collection aidera les candidats qui souhaitent valider leurs compétences en français à bien se préparer à ces épreuves. Elle constitue aussi un outil de référence pour leurs enseignants.

Les DELF A1, A2, B1, B2 et les DALF C1 et C2 ouvrent ainsi de nouvelles perspectives, internationales pour les candidats, et pédagogiques pour les enseignants. On ne peut que s'en réjouir.

Christine TAGLIANTE
Responsable du Pôle Évaluation et Certifications
CIEP

AVANT-PROPOS

Cet ouvrage s'adresse tant aux apprenants de français langue étrangère débutants, adultes et adolescents, après 330 à 400 heures d'apprentissage, qu'aux enseignants. Les enseignants pourront l'utiliser ponctuellement en complément du manuel de classe. Les candidats libres y trouveront l'aide nécessaire en vue de leur réussite aux examens. Il constitue donc un outil de préparation aux différentes épreuves du diplôme DELF B1.

L'ouvrage se compose de quatre parties correspondant aux quatre compétences évaluées le jour de l'examen : compréhension de l'oral, compréhension des écrits, production écrite et production orale. À l'intérieur de chaque partie sont déclinées des batteries d'exercices qui, progressivement, amènent l'apprenant de la « découverte » à la « maîtrise » des actes de paroles ou « tâches » qu'un candidat au DELF B1 doit être capable de réaliser.

Découverte (*Pour vous aider*) : cette double page permet d'analyser les activités à mettre en pratique dans les pages suivantes.

Entraînement (*Pour vous entraîner*) : avec ces pages d'exercices variés, l'apprenant se familiarisera avec les différents actes de paroles à acquérir au niveau B1.

Maîtrise : les deux dernières pages proposent des ensembles (séries) d'exercices tels qu'ils pourront être formulés le jour de l'examen.

Vous trouverez dans cet ouvrage des « boîtes à outils » qui proposent des expressions familières et des amorces de phrases destinées à enrichir le lexique et à varier la formulation ; des informations culturelles, lexicales...

À la fin de chaque partie, un tableau d'**auto-évaluation** incite l'apprenant à faire le point sur ses capacités à réaliser les tâches demandées dans la compétence donnée.

Après le travail progressif d'entraînement compétence par compétence, l'apprenant pourra se livrer à l'exercice tel qu'il sera présenté le jour de l'examen grâce au **sujet type** proposé dans sa globalité, à savoir les quatre compétences réunies.

À la fin de l'ouvrage sont proposés les **transcriptions** des enregistrements sonores ainsi que les **corrigés** des exercices.

LES AUTEURS

LE CADRE EUROPÉEN COMMUN DE RÉFÉRENCE POUR LES LANGUES

En 1991, les experts de la Division des politiques linguistiques du Conseil de l'Europe ont décidé de la création d'un outil pratique permettant :
- d'établir clairement les éléments communs à atteindre lors des étapes de l'apprentissage ;
- de rendre les évaluations comparables d'une langue à l'autre.

De cette réflexion est né le *Cadre européen commun de référence pour les langues : apprendre, enseigner, évaluer*, publié aux Éditions Didier en 2001.

Le *Cadre* définit **six niveaux de compétence en langue**, quelle que soit la langue. Il est de plus en plus utilisé pour la réforme des programmes nationaux de langues vivantes et pour la comparaison des certificats en langues. Aujourd'hui, l'impact du *Cadre*, traduit et diffusé en dix-huit langues, dépasse de loin les frontières de l'Europe.
Le Conseil de l'Union européenne (Résolution de novembre 2001) recommande son utilisation, facilitant ainsi la mobilité éducative et professionnelle.

Situé dans la continuité des approches communicatives, ce texte de référence, non prescriptif, propose de nouvelles pistes de réflexion comme la prise en compte des savoirs antérieurs du sujet, la primauté à la compétence pragmatique et la défense d'une compétence plurilingue et pluriculturelle.

Parce qu'il adhère aux recommandations du Conseil de l'Europe, le ministère de l'Éducation nationale français a demandé à la Commission nationale du DELF et du DALF d'harmoniser ses certifications sur les six niveaux de compétence en langue du *Cadre européen commun de référence pour les langues*. Une réforme du DELF et du DALF a donc été réalisée et six diplômes ont été mis en place en 2005, correspondant à chacun des six niveaux du *Cadre européen* :

DELF A1	niveau A1
DELF A2	niveau A2
DELF B1	niveau B1
DELF B2	niveau B2
DALF C1	niveau C1
DALF C2	niveau C2

PRÉSENTATION DE L'ÉPREUVE DELF B1

Le niveau B1 correspond aux spécifications du Niveau seuil pour un visiteur en pays étranger. Il doit être capable :
- de faire face habilement aux problèmes de la vie quotidienne ;
- d'extraire les informations essentielles d'un document écrit, de les classer, les hiérarchiser et les comparer dans une perspective utilitaire ;
- d'échanger avec une certaine assurance une grande quantité d'informations factuelles sur des questions habituelles ou non dans son domaine ;
- de donner son opinion sur une nouvelle, un article, un exposé, une discussion, un entretien, un documentaire et répondre à des questions de détail complémentaires.

L'examen dure environ 2 heures et se divise en deux temps. Les épreuves collectives se déroulent le même jour ; au nombre de trois, elles se succèdent dans l'ordre suivant :
- la compréhension orale ;
- la compréhension des écrits ;
- la production écrite.

L'épreuve de production orale constitue une épreuve à part, et pour laquelle le candidat est convoqué séparément.

Compréhension de l'oral (25 minutes)
Il est demandé au candidat de répondre à des questionnaires de compréhension portant sur trois documents enregistrés (deux écoutes). *(Durée maximale des documents : 6 minutes.)*

Compréhension des écrits (35 minutes)
Le candidat doit répondre à des questionnaires de compréhension portant sur deux documents écrits. Il doit être capable de :
- dégager des informations utiles par rapport à une tâche donnée ;
- analyser le contenu d'un document d'intérêt général.

Production écrite (45 minutes)
Le candidat doit exprimer une attitude personnelle sur un thème général dans le cadre d'un essai, d'un courrier ou d'un article.

Production orale (15 minutes environ, plus 10 minutes de préparation pour la troisième partie)
L'épreuve se déroule en trois temps :
- un entretien dirigé durant lequel le candidat devra parler de lui, de ses activités, de ses centres d'intérêt, de son passé, de son présent et de ses projets ;
- un exercice en interaction où le candidat sera capable de faire face à des situations inhabituelles dans un magasin, un bureau de poste, une banque… ou comparer et opposer des alternatives pour organiser une sortie, un voyage, etc.
- un petit exposé de 3 minutes environ à partir d'un document déclencheur. Le candidat devra dégager le thème du document et présenter son point de vue.

DIPLÔME D'ÉTUDES EN LANGUE FRANÇAISE

DELF B1

Niveau B1 du *Cadre européen commun de référence pour les langues*

DELF B1 - nature des épreuves	durée	note sur
Compréhension de l'oral ► Réponse à des questionnaires de compréhension portant sur trois documents enregistrés (deux écoutes). *Durée maximale des documents : 6 min.*	25 min environ	/25
Compréhension des écrits ► Réponse à des questionnaires de compréhension portant sur deux documents écrits : – dégager des informations utiles par rapport à une tâche donnée ; – analyser le contenu d'un document d'intérêt général.	35 min	/25
Production écrite ► Expression d'une attitude personnelle sur un thème général : essai, courrier, article...	45 min	/25
Production orale ► Épreuve en trois parties : – l'entretien dirigé ; – l'exercice en interaction ; – l'expression d'un point de vue à partir d'un document déclencheur.	15 min environ *préparation : 10 min pour la troisième partie de l'épreuve*	/25

Durée totale des épreuves collectives : 1 h 45

- **Note : total sur 100.**
- **Seuil de réussite pour l'obtention du diplôme : 50/100.**
- **Note minimale requise par épreuve : 5/25.**

COMPRÉHENSION DE L'ORAL

Nature de l'épreuve

durée	note sur
25 minutes environ	*/25*

- Réponse à des questionnaires de compréhension portant sur trois documents enregistrés (deux écoutes).

  Durée maximale des documents : 6 min.

COMPRÉHENSION DE L'ORAL

Dans cette épreuve, on vous demande de répondre à des questions portant sur des documents enregistrés.
Ces documents peuvent être :
- des documents de caractère informatif : information radiophonique, extrait d'un reportage, d'un cours ou d'une conférence, présentation ou mode d'emploi d'un produit, publicité, etc.
- des documents correspondant à des situations de la vie quotidienne : dialogues, interviews, messages, annonces...

➲ Il y a toujours trois exercices. Chaque exercice porte sur un document différent.

➲ Un exercice se déroule toujours de la même manière :
- Vous lisez les questions.
- Vous écoutez une première fois l'enregistrement.
- Vous réfléchissez et commencez à répondre.
- Vous écoutez une deuxième fois l'enregistrement.
- Vous finissez de répondre aux questions.

Le troisième exercice porte toujours sur un document informatif, le plus souvent extrait d'une émission de radio.
Ce document est plus long que ceux des deux exercices précédents et les questions sont plus nombreuses et plus détaillées. Mais vous avez également plus de temps pour lire les questions et pour y répondre.

➲ L'épreuve est notée sur 25 points. Le troisième exercice est noté sur davantage de points (par exemple, 6 points pour l'exercice 1 ; 6 points pour l'exercice 2 et 13 points pour l'exercice 3).

➲ Les consignes sont enregistrées. Elles sont aussi écrites sur la feuille de réponse. Il y a une seule consigne pour les deux premiers documents, et une autre pour le document 3 (voir l'exemple d'épreuve pages 35 à 37).
Chaque consigne vous rappelle :
- le nombre d'écoutes des documents : toujours deux écoutes pour chacun d'eux.
- le temps dont vous disposez pour lire les questions, pour réfléchir entre les deux écoutes, et pour compléter vos réponses après la deuxième écoute. Ces durées, comme celles des documents eux-mêmes, sont différentes dans les deux premiers exercices et dans l'exercice 3.

	Exercice 1	**Exercice 2**	**Exercice 3**
Durée approximative du document	1 à 2 min	1 à 2 min	2 à 3 min
Lecture des questions	30 secondes	30 secondes	1 min
Pause entre les deux écoutes	30 secondes	30 secondes	3 min
Après la deuxième écoute	1 min	1 min	2 min

- la manière dont vous devez répondre : ➝ ... *Répondez aux questions en cochant (☒) la bonne réponse ou en écrivant l'information demandée.*

Pour vous aider

Bien lire les questions

- Lisez attentivement les questions pour ***bien comprendre ce qu'on vous demande*** et pour ***orienter votre écoute***. En effet, on ne vous demande pas de tout comprendre dans un document : ***vous pouvez répondre aux questions même si vous ne comprenez pas certains mots !***
- Les questions suivent l'ordre du document.

⚠ ***Cependant, certaines questions qui portent sur l'ensemble du document et non sur une information particulière peuvent être placées au début ou à la fin du questionnaire.***

EXEMPLE : Dans un dialogue, on peut vous demander d'identifier la relation entre les deux interlocuteurs (amis ? parents ? collègues de travail ?...). Souvent, la réponse ne figure pas littéralement dans le document, il faut avoir écouté l'ensemble pour en tirer la bonne conclusion. La question sera donc placée à la fin.

- Les questions peuvent prendre différentes formes.

Vous choisissez la bonne réponse et vous cochez la case correspondante ☒.

L'avion de Pierre part à :
☐ 20 h 00.
☒ 21 h 00.
☐ 22 h 00.

Pierre est en retard parce que :
☒ il ne s'est pas réveillé.
☐ il s'est trompé d'heure.
☐ les bus sont en grève.

De quoi parle-t-on ?

(bateau)	(taxi)	(avion)
☐	☐	☒

Vous écrivez l'information que vous avez entendue. →

Quel est le métier de Pierre ?
musicien

Vous dites si l'information écrite correspond à ce que vous entendez (VRAI) ou non (FAUX), ou si on ne peut pas savoir. →

Il n'y a pas d'autre avion pour Nice ce jour-là :
☐ VRAI ☒ FAUX ☐ *On ne sait pas.*

Vous écrivez les informations qui manquent dans un tableau. →

Complétez le tableau.

Vol n°	Départ à	Destination
AF 397	21 h 00	Nice

Vous cochez la bonne réponse pour chaque rubrique d'un tableau. →

Où préfèrent-ils prendre leurs vacances ?

	Sylvie	Pierre	Solange	Jacques
À la mer		X		
À la montagne	X			X
En ville			X	

Conseils pour écouter l'enregistrement

1. Pendant la première écoute, concentrez-vous sur le sens général du document, pour bien comprendre de quoi il s'agit. N'essayez pas de comprendre chaque mot.

N'essayez pas non plus de répondre immédiatement à toutes les questions, vous risqueriez de perdre le fil du document et de ne pas entendre des informations importantes. Écrivez seulement les réponses qui vous paraissent évidentes, notez quelques mots au brouillon.

2. Après la première écoute, n'écrivez pas tout de suite les réponses dont vous n'êtes pas absolument sûr(e). La deuxième écoute vous apportera les informations qui manquent.

3. Vous ne pouvez pas répondre à une question ? Ne vous inquiétez pas et ne perdez pas de temps à réfléchir. Concentrez-vous sur les questions suivantes. Vous pouvez obtenir un bon résultat même si vous ne répondez pas à toutes les questions.

Pour vous entraîner

Les exercices qui suivent sont regroupés en deux parties, correspondant aux deux grandes catégories de documents qui vous seront proposés le jour de l'épreuve :
- documents à caractère informatif ;
- situations de communication.

Dans chaque partie, vous trouverez :
- tout d'abord des exercices pour vous *entraîner progressivement* à l'écoute et à la compréhension. Ces exercices ne correspondent pas forcément à ceux que vous aurez le jour de l'épreuve : ils sont généralement plus courts et chacun d'eux se concentre sur un type de question particulier. C'est en les faisant tous que vous pourrez ensuite aborder des documents et des questionnaires plus complexes.
- des exercices *semblables à ceux proposés lors de l'examen*, comportant chacun plusieurs questions de différents types.

Essayez de faire ces exercices **dans les conditions de l'examen, avec le même nombre d'écoutes et les mêmes temps de pause**. Vérifiez ensuite vos réponses dans le corrigé. Si toutes vos réponses ne sont pas exactes, refaites l'exercice dans les mêmes conditions, avant de regarder la transcription.

COMPRENDRE UN DOCUMENT À CARACTÈRE INFORMATIF

Comme son nom l'indique, le document à caractère informatif a pour fonction de communiquer des informations utiles sur un sujet donné.
Selon le cas, il peut s'agir de présenter des événements présents (actualités) ou passés (récit, émission historique), des lieux ou des personnes (reportage), une œuvre (livre, disque...), un nouveau produit. Il peut s'agir aussi d'informations utiles ou de conseils pour la vie de tous les jours (loisirs, travail, sports...).
Les documents choisis ont toujours un caractère assez général, et ne sont pas destinés à des spécialistes. Bien entendu, selon le sujet abordé, il y aura quelques mots que vous ne connaîtrez pas, mais cela ne vous empêchera pas de répondre aux questions.

Les questions varieront d'un document à l'autre, mais peuvent être résumées ainsi :
- Quel est le sujet abordé par le document ?
- À quel public est-il destiné ? Qui peut être particulièrement intéressé par les informations qu'il contient ?
- Quelles sont les informations les plus importantes (événements, dates, chiffres, idées ou conseils exprimés...) ?

Les questions qui demandent d'identifier les informations importantes sont évidemment les plus nombreuses.

Identifier la nature et la fonction du document

Certains documents ont simplement pour but de donner une information objective, d'autres peuvent répondre à une intention particulière : par exemple, une publicité décrit un produit de manière à vous donner envie de l'acheter ; un journaliste peut vouloir faire partager son opinion personnelle sur un événement. Des questions pourront donc vous être posées pour vérifier si vous avez bien perçu la nature du document et sa fonction (quel effet il veut produire sur l'auditeur). On pourra vous demander aussi s'il est destiné à un public particulier (les jeunes, par exemple).

1 **Pour chacun des documents suivants, dites s'il s'agit d'une information, du début d'une interview, ou du début d'un reportage.**

	1	2	3	4	5	6	7
Information							
Début d'une interview							
Début d'un reportage							

2 **Vous allez entendre cinq documents. Pour chacun d'eux, dites s'il s'agit d'une information ou d'une publicité.**

	1	2	3	4	5
Information					
Publicité					

3 **Vous allez entendre le début de cinq documents. Cochez ceux d'entre eux qui s'adressent plus particulièrement aux jeunes (enfants ou adolescents).**

1	2	3	4	5

Identifier le thème abordé dans le document

4 **Dans quelle rubrique peut-on classer chacune des informations que vous allez entendre ?**

	1	2	3	4	5	6	7	8
a) Faits divers								
b) Sciences								
c) Arts et littérature								
d) Sport								
e) Cinéma								
f) Tourisme								
g) Actualité								
h) Économie								

5 **Vous allez entendre la présentation de cinq films. Dites à quelle catégorie ils appartiennent.**

	1	2	3	4	5
a) Policier					
b) Drame psychologique					
c) Science-fiction					
d) Comédie					
e) Reportage/documentaire					

6 **Vous allez entendre deux documents. Pour chacun d'eux, dites quel est le sujet abordé.**

Document 1	**a)** ☐ La pollution de la Terre. **b)** ☐ La pollution de l'espace autour de la Terre. **c)** ☐ Les dangers des expéditions dans l'espace.
Document 2	**a)** ☐ Les meilleurs prix pour des vacances en famille. **b)** ☐ Les séjours linguistiques pour les jeunes. **c)** ☐ Une forme d'aide sociale pour la période des vacances. **d)** ☐ Les difficultés économiques des familles françaises.

Identifier des informations précises

7 **Vous allez entendre un document retraçant l'histoire du festival de Cannes. Complétez le tableau en écrivant les dates correspondantes.**

a) Projet de création d'un festival de cinéma à Cannes :	
b) Année prévue pour le premier festival de Cannes :	
c) Année réelle du premier festival :	
d) Années suivantes où le festival n'a pas eu lieu :	
e) Ouverture du premier Palais du festival :	
f) Ouverture du nouveau Palais du festival :	
g) Premier Grand Prix du festival :	
h) Première Caméra d'Or :	
i) Première Palme d'Or :	

8 **Dites si l'événement ou la situation évoqué(e) appartient au passé, au présent ou au futur.**

⚠ Le présent peut être aussi utilisé pour exprimer des faits passés (présent de narration), ou futurs.

Exemples : – En 1804, Napoléon devient empereur des Français.
– La semaine prochaine, il donne un concert à l'Olympia.

	1	2	3	4	5	6	7
Passé							
Présent							
Futur							

9 **Dites si le fait annoncé est certain ou seulement probable.**

	1	2	3	4	5	6	7
Certain							
Probable							

10 **Écoutez à nouveau les deux documents de l'exercice 6 (plage 6 du CD). Par rapport à ce que vous aurez entendu, dites si les informations ci-dessous sont vraies ou fausses. Si on ne peut pas savoir, cochez la case « ? ».**

	VRAI	FAUX	?
1. a) L'espace est pollué principalement par des produits chimiques.			
b) Les objets les plus nombreux font moins de un centimètre.			
c) La plupart de ces objets sont des morceaux d'engins spatiaux.			
d) Il y a peu de chances que ces objets retombent un jour sur la Terre.			
e) Aucune solution technique pour les ramasser n'a encore été découverte.			
2. a) La moitié des enfants français ne partent pas en vacances.			
b) Ils ne peuvent pas partir car leurs parents n'ont pas assez d'argent.			
c) Les séjours proposés par le Secours populaire français durent un mois.			
d) Pendant ces séjours, les enfants sont placés dans une autre famille.			
e) Les familles intéressées doivent s'inscrire avant le 1er juillet.			
f) Cette annonce a pour but de recueillir de l'argent pour le Secours populaire.			

11 **Vous allez entendre une étude comparative des prix pour un même produit, dans différents magasins. Complétez le tableau en indiquant, pour chaque magasin, le prix, les délais de livraison et la durée de la garantie.**

Produit	**Appareil photo numérique Sushiba 240ZX**			
Magasins	*NetAchat*	*Microrêve*	*SmartDiscount*	*Diginet*
Prix				
Délais de livraison				
Durée de la garantie				

12 **Répondez aux questions, en cochant la case correspondante ou en écrivant l'information demandée.**

a) Ce document est :
☐ une annonce. ☐ une publicité. ☐ le début d'un reportage.

b) Complétez les informations données sur les spectacles :

Lieu	Âge du public	Prix	Mois	Jours de la semaine	Heure
Parc floral du bois de Vincennes					

c) Citez deux exemples de spectacles proposés :

....

d) Pour avoir des informations, quel numéro peut-on appeler ? ....

13 **Écoutez cette information, et répondez aux questions, en cochant la case correspondante ou en écrivant l'information demandée.**

a) À quelle rubrique appartient ce document ?
☐ Environnement. ☐ Économie. ☐ Politique.

b) Quel est le pays dont on parle ? ....

c) Vrai, faux, on ne sait pas ? Répondez en cochant la case correspondante.

	VRAI	FAUX	*On ne sait pas.*
1. Les nouveaux sacs plastique sont gratuits.			
2. On veut encourager les gens à utiliser le même sac plusieurs fois.			
3. Cette mesure est une nouveauté en Afrique.			
4. Ce sont surtout les jeunes qui utilisent les nouveaux sacs.			
5. Malgré cette mesure, les rues sont restées sales.			
6. La plupart des pays ont déjà pris la même initiative.			

14 **Écoutez ce document, et répondez aux questions, en cochant la case correspondante ou en écrivant l'information demandée.**

a) Ce bulletin météo est diffusé :
☐ au début de l'été. ☐ à la fin de l'été. ☐ *On ne sait pas.*

b) Les températures vont :
☐ baisser. ☐ monter. ☐ rester stables.

c) Cela concerne :
☐ seulement certaines régions. ☐ seulement le Sud de la France. ☐ toute la France.

d) Pour cette époque de l'année, ces températures sont :
☐ habituelles. ☐ inhabituelles. ☐ *On ne sait pas.*

e) Indiquez les températures prévues dans les villes suivantes :

Lille	
Marseille	

f) Dans quelle ville fera-t-il le plus chaud ? ....

g) Il y aura beaucoup de soleil et un peu de pluie :
☐ VRAI ☐ FAUX ☐ *On ne sait pas.*

Identifier les idées et les opinions exprimées

15 **Vous allez entendre deux documents. Par rapport à ce que vous aurez entendu, dites si les affirmations ci-dessous sont vraies ou fausses. Cochez « ? » si le document ne permet pas de le savoir.**

	VRAI	FAUX	?
1. a) Le grand public s'intéresse encore beaucoup aux dinosaures.			
b) La disparition des dinosaures serait due à un changement climatique.			
c) Selon cette hypothèse, les dinosaures seraient morts de froid.			
d) Cette hypothèse pourrait être confirmée par des découvertes récentes.			
2. Selon Dominique Voynet...			
a) le manque d'eau en France est un véritable problème.			
b) la qualité de l'eau pourrait être améliorée.			
c) l'agriculture française consomme trop d'eau.			
d) on a tort de ne pas vouloir boire l'eau du robinet.			

16 **Écoutez le document, et cochez le résumé qui correspond le mieux aux idées exprimées.**

a) ☐ Les enfants élevés avec un animal domestique sont plus équilibrés et ont moins de problèmes psychologiques.

b) ☐ La présence d'un animal domestique peut aider un enfant à s'épanouir, mais peut aussi être source de difficultés.

c) ☐ Les animaux domestiques aident les petits à mieux grandir. À leurs côtés, ils prennent confiance en eux et acquièrent le sens des responsabilités.

d) ☐ Élever ensemble un enfant et un animal domestique demande une attention de tous les instants.

17 **Dites si le journaliste présente simplement les faits, formule une appréciation positive, ou formule une appréciation négative.**

	1	2	3	4	5	6
Simple présentation des faits						
Appréciation positive						
Appréciation négative						

18 **Vous allez entendre la présentation de cinq émissions. Pour chacune d'elles, dites si le présentateur s'exprime de manière enthousiaste, critique, ou ironique.**

	1	2	3	4	5
Enthousiaste					
Critique					
Ironique					

19 **Écoutez le document, et répondez aux questions en cochant la case correspondante ou en écrivant l'information demandée.**

a) Ce document est :
- ☐ une publicité pour des téléphones portables.
- ☐ un reportage sur les nouveaux moyens de communiquer.
- ☐ la présentation d'un spectacle.

b) Selon le journaliste, avec les nouvelles technologies, les gens communiquent :
- ☐ moins bien qu'autrefois.
- ☐ mieux qu'autrefois.
- ☐ aussi bien qu'autrefois.

c) La pièce dont on parle est une pièce :
☐ tragique. ☐ comique. ☐ *On ne sait pas.*

d) Vrai, faux, on ne sait pas ? Répondez en cochant la case correspondante.

	VRAI	**FAUX**	***On ne sait pas.***
1. Les acteurs sont très bons.			
2. La pièce met en scène un utilisateur de téléphone portable.			
3. Cette pièce est jouée pour la première fois.			
4. Le journaliste conseille vivement d'aller voir cette pièce.			

e) Complétez le tableau.

Heure du spectacle	**Jours de la semaine**	**Prix des places**

VERS L'ÉPREUVE

Faites à présent les exercices suivants, proches de ceux que vous pourrez avoir le jour de l'examen.
Pour chaque document, répondez aux questions en cochant la case correspondante, ou en écrivant l'information demandée.

1

1. Ce document est :
- ☐ un reportage sur les animaux domestiques en France.
- ☐ une information utile pour les propriétaires d'animaux.
- ☐ une publicité pour des produits destinés aux animaux.

2. Les services présentés sont assurés :
- ☐ par des particuliers qui aiment les animaux.
- ☐ par les pouvoirs publics.
- ☐ par des sociétés.

3. Trois formules différentes sont proposées. Complétez le tableau.

	Nom	**Où l'animal est-il gardé ?**
a) Formule n° 1		
b) Formule n° 2		
c) Formule n° 3		

4. Vrai, faux, on ne sait pas ? Cochez la case correspondante.

	VRAI	**FAUX**	***On ne sait pas.***
a) La formule n° 2 est la plus chère.			
b) Il ne faut pas trop attendre pour réserver.			
c) Le site dogradio.com donne des adresses sur l'ensemble de la France.			

2

1. À quelle rubrique appartient ce document ?
☐ Médecine. ☐ Agriculture. ☐ Faits divers.

2. L'homme dont on parle est à l'hôpital :
☐ par sa faute. ☐ à la suite d'un accident. ☐ à la suite d'une maladie.

3. Qu'avait-il mangé ? ....
En quelle quantité ? ....
En combien de temps ? ....

4. Il a fait cela parce que :
☐ il voulait maigrir. ☐ il voulait mourir. ☐ il voulait devenir célèbre.

5. Par rapport au précédent record mondial, il a fait :
☐ beaucoup mieux. ☐ aussi bien.
☐ un peu moins bien. ☐ beaucoup moins bien.

6. **Dans quel état est-il aujourd'hui ?**
☐ Il va bien. ☐ Il est très malade.
☐ Il risque de mourir. ☐ Il est mort.

7. **Quel est le ton du journaliste ?**
☐ Sérieux. ☐ Ironique. ☐ Admiratif.

3

1. **À quelle rubrique appartient ce document ?**
☐ Tourisme. ☐ Culture. ☐ Société.

2. **À quel pays appartient l'île de Madère ?**
☐ Au Portugal. ☐ Au Maroc. ☐ *On ne sait pas.*

3. **En quelle saison le journaliste conseille-t-il de la visiter ?** ....

4. **Quel est le surnom de Madère ?** ....

5. **Vrai, faux, on ne sait pas ? Cochez la case correspondante.**

	VRAI	**FAUX**	***On ne sait pas.***
a) Madère est surtout connue pour ses plages.			
b) Sa forêt est la plus vieille du monde.			
c) La route 204 passe à 1 000 mètres d'altitude.			

6. **Que peut-on voir quand on traverse le plateau central ? Cochez les bonnes réponses.**
☐ Une grande forêt. ☐ Des villages.
☐ Des animaux d'élevage. ☐ Les montagnes.
☐ Des animaux sauvages.

7. **Quelle est la hauteur des plus grandes montagnes de Madère ?** ....

8. **Le journaliste évoque plusieurs plantes de Madère (lauriers, bruyères, muguet). Quel est leur point commun ?**
☐ Elles sont parfumées. ☐ Elles sont très grandes. ☐ Elles fleurissent toute l'année.

9. **Combien coûte un séjour d'une semaine à Madère ?**
.... euros ☐ maximum pour une personne.
☐ minimum.

4

1. **Quel est le sujet de ce document ?**
☐ La recherche de la vie dans le cosmos.
☐ La disparition sur Terre de certaines espèces d'animaux.
☐ La découverte sur Terre d'animaux existants.

2. **Où vit l'échinoderme ?**
☐ Dans la mer. ☐ Dans les rivières. ☐ Dans les arbres.

3. **L'échinoderme :**
☐ ressemble à des animaux qui vivaient il y a très longtemps.
☐ existe depuis très longtemps mais s'est beaucoup transformé.
☐ existe depuis très longtemps et n'a pas changé.

4. **Les espèces découvertes au Brésil et au Vietnam ne ressemblent à aucun animal connu.**
☐ VRAI ☐ FAUX ☐ *On ne sait pas.*

5. **Quel genre d'animaux se trouve en très grand nombre en Amazonie?** ....

6. **Combien pense-t-on qu'il existe d'espèces animales dans le monde?**
Au minimum: ....
Au maximum: ....

7. **Combien en connaît-on aujourd'hui?** ....

5

1. **Cette annonce s'adresse:** ☐ aux photographes professionnels.
☐ aux journalistes.
☐ à tous les auditeurs de la radio.

2. **Quels genres de photos sont demandés?**
☐ Photos de famille. ☐ Photos de voyage.
☐ Portraits. ☐ Photos de monuments célèbres.

3. **Citez deux adjectifs qui caractérisent les photos demandées:** ....

4. **Quelle est la date limite d'envoi des photos?** ....

5. **On peut envoyer ses photos seulement par courrier.**
☐ VRAI ☐ FAUX ☐ *On ne sait pas.*

6. **Que doit-on indiquer en envoyant les photos? Complétez le tableau.**

Son nom	Son adresse			

7. **Le premier prix est un voyage en:**
☐ Irlande. ☐ Islande. ☐ Finlande.

8. **Le troisième prix est un appareil photo.**
☐ VRAI ☐ FAUX ☐ *On ne sait pas.*

6

1. **À qui s'adresse le journaliste?** ☐ Aux jeunes.
☐ Aux parents.
☐ A tout le monde.

2. **À quel âge peut-on passer le permis de conduire en France?** ....

3. **Vrai, faux, on ne sait pas? Cochez la case correspondante.**

Pour pratiquer la conduite accompagnée, il faut…

	VRAI	FAUX	*On ne sait pas*
a) avoir plus de 18 ans.			
b) avoir déjà pris des cours dans une auto-école.			
c) être accompagné obligatoirement par un membre de sa famille.			

4. **Quelles sont les deux conditions pour être adulte accompagnateur?**
a) ....
b) ....

5. **Cochez les bonnes réponses.**
Pour que la conduite accompagnée soit valable, il faut:
☐ avoir conduit sur un nombre de kilomètres suffisant.
☐ avoir été accompagné par plusieurs personnes différentes.
☐ avoir conduit différents types de voiture.
☐ avoir conduit dans des lieux et des situations différents.

6. **Par rapport à l'apprentissage classique, la conduite accompagnée coûte:**
☐ aussi cher. ☐ un peu plus cher. ☐ beaucoup plus cher.

7. **Quel est le pourcentage de réussite au permis lorsqu'on a pratiqué la conduite accompagnée?**
....

8. **Que signifie le « A » placé à l'arrière d'une voiture?** ....

9. **Pour le journaliste, quel est le principal avantage de la conduite accompagnée?**
....

COMPRENDRE UNE SITUATION DE COMMUNICATION

Une situation de communication peut se résumer par les questions suivantes:
- Qui parle à qui?
- Dans quelles circonstances?
- De quoi?
- Quels sont les attitudes, les opinions, les sentiments exprimés?
- Quelles sont les informations importantes communiquées?

Les exercices d'entraînement qui suivent vont vous permettre d'aborder ces différents types de questions, sauf le dernier (identifier les informations importantes) que vous avez déjà travaillé dans les exercices précédents.

Remarque: dans les différents documents proposés, vous pouvez entendre plusieurs personnes (dialogue, conversation téléphonique, interview, sondage...) ou une seule (message enregistré, annonce, conversation téléphonique dont on n'entend qu'un seul des interlocuteurs). Identifier la nature exacte du document peut faire partie des questions posées.

De quel genre de document s'agit-il?

1 **Vous allez entendre cinq brefs documents. Pour chacun d'entre eux, indiquez de quoi il s'agit en cochant la case correspondante.**

	Document 1	Document 2	Document 3	Document 4	Document 5
Annonce					
Message sur un répondeur					
Sondage					
Conversation téléphonique					
Conversation dans un lieu public					

Qui parle à qui ?

Il s'agit d'identifier les interlocuteurs : leur âge, leur profession ou leur activité, les relations qui existent entre eux...

Dans ce genre de question :
- soyez attentif au registre (familier, formel, neutre...) ;
- repérez les mots importants, mais ne tirez pas de conclusion trop rapide : ce n'est pas parce que deux personnes parlent de leur travail qu'elles sont forcément des collègues...

2 **Vous allez entendre six petits dialogues. Dites quelles sont les deux personnes qui parlent.**

	Dialogue 1	Dialogue 2	Dialogue 3	Dialogue 4	Dialogue 5	Dialogue 6
Deux collègues de travail						
Un père et sa fille						
Deux étudiants						
Un patron et une employée						
Deux amis						
Deux personnes qui ne se connaissent pas.						

3 **Pour chacune des phrases que vous allez entendre, dites quel est le métier de la personne qui parle.**

Il/elle est...	1	2	3	4	5	6	7
professeur							
garagiste							
guide touristique							
serveur/serveuse							
secrétaire							
policier							
médecin							

4 **Pour chacune des phrases que vous allez entendre, dites si la personne à qui on parle est un homme ou une femme, ou si on ne peut pas savoir.**

Ce qui peut vous guider :
- l'accord des articles (un/une, le/la), de l'adjectif possessif (tu es mon/ma meilleur(e) ami(e)) ;
- l'accord des adjectifs qualificatifs (gentil/gentille, grand/grande, beau/belle...). Mais attention aux adjectifs qui ont la même forme au masculin et au féminin (sympathique), ou qui se prononcent de la même manière (pressé/pressée ; meilleur/meilleure devant une voyelle, etc.) ;
- le genre des noms : fils/fille, commerçant/commerçante, collaborateur/collaboratrice... - mais certains noms sont identiques ou se prononcent de la même manière (secrétaire, médecin, ami(e), employé(e)...).

	1	2	3	4	5	6	7	8	9	10
Homme										
Femme										
On ne sait pas.										

5 **Voici six messages laissés sur le répondeur d'un médecin. Dites qui a laissé chacun de ces messages.**

	Message 1	Message 2	Message 3	Message 4	Message 5	Message 6
Sa femme						
Son fils						
Sa secrétaire						
Une patiente						
Une amie						
Un collègue						

6 **Écoutez le dialogue et répondez aux questions.**

a) C'est un dialogue entre :

☐ deux amis. ☐ un frère et une sœur. ☐ *On ne sait pas.*

b) Paul est plus âgé que Fabienne. ☐ VRAI ☐ FAUX ☐ *On ne sait pas.*

Dans quelles circonstances ?

Les questions serviront ici à préciser :
– où se déroule la situation de communication ;
– à quel moment ou dans quelle occasion.

7 **Faites correspondre chaque dialogue à une photo.**

A.

B.

C.

D.

E.

F.

Vous allez entendre six annonces. Indiquez dans quel lieu on peut les entendre.

	1	2	3	4	5	6
Dans un grand magasin						
Dans une gare						
À la radio						
Sur un répondeur téléphonique						
Sur une messagerie vocale						
Dans un avion						

9 **Vous allez entendre six phrases. Dites à quel moment de la journée elles ont pu être prononcées.**

	1	2	3	4	5	6
Le matin						
En milieu de journée						
L'après-midi						
Dans la soirée						
En pleine nuit						

10 **Vous allez entendre sept phrases, adressées à la même personne à différents moments de sa vie. Faites correspondre chaque phrase à une circonstance particulière.**

	1	2	3	4	5	6	7
Anniversaire							
Permis de conduire							
Université							
Mariage							
Premier enfant							
Retraite							
Vieillesse							

De quoi ou de qui parle-t-on ?

11 **Pour chaque phrase, dites si l'on parle d'un homme, d'une femme, ou si l'on ne peut pas savoir.**

	1	2	3	4	5	6	7	8
Homme								
Femme								
On ne sait pas.								

12 **Pour chaque phrase, dites si l'on parle d'une seule personne, de plusieurs, ou si l'on ne peut pas savoir.**

	1	2	3	4	5	6	7	8	9
Une seule personne									
Plusieurs personnes									
On ne sait pas.									

13 **Faites correspondre chaque dialogue à une photo.**

A. B. C.

D. E. F.

14 **Faites correspondre chaque phrase à un panneau.**

A.

B.

C.

D.

15 **Attribuez au dessin de chaque scène le dialogue qui convient.**

A.

B.

C.

D.

E.

F.

16 **Vous allez entendre trois documents. Pour chacun d'eux, cochez les informations exactes.**

1. a) ☐ Mme Lavergne est une cliente de la société Matexco.
b) ☐ Ce message a été enregistré le 27 février.
c) ☐ Le rendez-vous était fixé à 16 h 30.
d) ☐ Les livreurs sont passés, mais Mme Lavergne n'était pas là.
e) ☐ Les livreurs sont déjà retournés au magasin.
f) ☐ Si elle rappelle avant 13 h 00, elle pourra avoir sa commande le jour même.

2. a) ☐ Quand Nathalie appelle, Paul n'est pas chez lui.
b) ☐ La soirée chez Gérard a lieu le jour même.
c) ☐ Nathalie ne viendra pas à la soirée, parce qu'il y a trop de monde.
d) ☐ Elle ne veut pas voir Gérard et Françoise.
e) ☐ Elle ne veut pas que Paul la rappelle.
f) ☐ Elle va partir en Italie pour son travail.

3. a) ☐ Jacques laisse un message sur le répondeur de Valérie.
b) ☐ Il appelle de l'aéroport.
c) ☐ Valérie n'est pas là car elle s'est trompée de jour.
d) ☐ Jacques est très en colère.
e) ☐ Il ne connaît pas Paris.
f) ☐ Pour aller chez Valérie, il va prendre le métro.
g) ☐ Le code pour entrer chez Valérie, c'est le 14P49.

Identifier les attitudes, les sentiments, les opinions exprimés

17 **Pour chaque phrase, dites si la personne qui parle s'exprime dans un registre familier, standard ou soutenu.**

	1	2	3	4	5	6	7	8	9	10	11	12
Registre familier												
Registre standard												
Registre soutenu												

18 **Dites si les phrases suivantes expriment une interrogation, un ordre, ou une simple affirmation (attention à l'intonation !).**

	1	2	3	4	5	6
Interrogation						
Ordre						
Affirmation						

Pour chacune des phrases suivantes, dites si la personne qui s'exprime est polie, peu polie ou agressive.

	1	2	3	4	5	6	7	8
Polie								
Peu polie								
Agressive								

20 **Dites ce qu'exprime chacune des phrases suivantes.**

⚠ Le conditionnel peut exprimer des nuances très différentes:
- une demande (polie): Tu pourrais me prêter ce livre?/Je voudrais avoir quelques informations…
- un conseil: Tu devrais manger moins de sucre.
- une proposition: On pourrait prendre la voiture et aller à la mer.
- la possibilité, l'éventualité: S'il y avait du nouveau, je vous en avertirais tout de suite.
- le doute, l'incrédulité: Il ne ferait jamais une chose pareille!

	1	2	3	4	5	6	7	8
Conseil								
Proposition								
Ordre/interdiction								
Éventualité								

21 **Quel est le sentiment exprimé dans chacune des phrases suivantes? Cochez la case correspondante.**

	Surprise	Enthousiasme	Déception	Colère	Impatience	Compréhension	Doute
1							
2							
3							
4							
5							
6							
7							
8							

22 **Voici l'opinion de huit personnes différentes sur le même film. Dites si chacune d'elles a beaucoup aimé, moyennement aimé ou pas du tout aimé le film.**

	1	2	3	4	5	6	7	8
Beaucoup								
Moyennement								
Pas du tout								

Vous allez entendre les commentaires de six personnes sortant d'une réunion de travail. Dites si chacune d'entre elles s'exprime de manière positive, critique ou ironique.

	1	2	3	4	5	6
Positive						
Critique						
Ironique						

Comprendre plus en détail les différentes informations contenues dans les documents

Pour travailler ce type de questions, reprenez les exercices proposés dans la première partie (comprendre un document à caractère informatif).

VERS L'ÉPREUVE

Faites à présent les exercices suivants, proches de ceux que vous pourrez avoir le jour de l'examen.
Pour chaque document, répondez aux questions en cochant la case correspondante, ou en écrivant l'information demandée

1

1. **Ce document est extrait :**
   - ☐ d'une conférence.
   - ☐ d'un reportage.
   - ☐ d'un cours pour des étudiants.

2. **Nous en entendons :**
   - ☐ le début.
   - ☐ la fin.
   - ☐ *On ne sait pas.*

3. **Beaucoup de gens sont venus écouter.**
   ☐ VRAI ☐ FAUX ☐ *On ne sait pas.*

4. **Le sujet concerne :**
   - ☐ seulement la poésie
   - ☐ seulement la peinture
   - ☐ la poésie et la peinture

   } dans l'œuvre de Victor Hugo.

5. **La personne qui parle considère que ce sujet est très original.**
   ☐ VRAI ☐ FAUX ☐ *On ne sait pas.*

6. **Les œuvres projetées seront :**
   - ☐ toutes du même auteur.
   - ☐ d'auteurs différents.
   - ☐ *On ne sait pas.*

2

1. **Il s'agit de la messagerie téléphonique :**
   ☐ d'un particulier. ☐ d'une entreprise. ☐ d'une administration.

2. Quelle touche doit-on presser pour chacune des opérations suivantes? Entourez la bonne réponse.

– Pour effacer le message actuel	1	2	3	4	5	6	7	8	9	*
– Pour écouter un ancien message	1	2	3	4	5	6	7	8	9	*
– Pour passer au message suivant	1	2	3	4	5	6	7	8	9	*

3. Quel est le montant du crédit restant? ....

4. Pour cette somme, pendant combien de temps peut-on téléphoner? ....

3

1. Ce document est:
- ☐ une conversation téléphonique.
- ☐ une publicité pour un magasin.
- ☐ un message laissé sur un répondeur.

2. La cliente appelle le magasin pour:
- ☐ passer une commande.
- ☐ avoir des informations complémentaires.
- ☐ faire une réclamation.

3. La personne qui répond travaille au service livraison.
☐ VRAI ☐ FAUX ☐ *On ne sait pas.*

4. La livraison à domicile:
- ☐ est automatique pour chaque commande.
- ☐ doit être demandée par le client.
- ☐ n'existe que pour certains produits.

5. Quel est le prix de la livraison?
- ☐ 65 euros, quel que soit le poids de la marchandise.
- ☐ 65 euros, jusqu'à 200 kg de marchandise.
- ☐ 65 euros, à partir de 200 kg de marchandise.

6. Si la commande dépasse 1 500 euros, la livraison est gratuite.
☐ VRAI ☐ FAUX ☐ *On ne sait pas.*

7. Quel numéro la cliente doit-elle rappeler? ....

4

1. Ce document est:
- ☐ un message sur un répondeur.
- ☐ une conversation téléphonique.
- ☐ une conversation dans un train.

2. Jean-Paul ne répondait pas au téléphone parce que:
☐ il est malade. ☐ il dormait. ☐ il se lavait.

3. Qui se marie ce jour-là?
- ☐ Luc.
- ☐ Robert.
- ☐ Jean-Paul.

4. Jean-Paul ne peut pas venir en voiture parce que:
- ☐ sa voiture ne marche pas.
- ☐ il n'a plus de voiture.
- ☐ il ne veut pas conduire.

5. Luc propose à Jean-Paul:
- ☐ de venir le chercher en voiture.
- ☐ de prendre un taxi.
- ☐ de prendre le bus.

6. **Luc va attendre Jean-Paul :**
   - ☐ sur les marches de l'église.
   - ☐ sur les marches de la mairie.
   - ☐ *On ne sait pas.*

7. **Quelle est l'attitude de Luc ?**
   - ☐ Il est patient.
   - ☐ Il plaisante.
   - ☐ Il est énervé.

5

1. **Ce document est :**
   - ☐ une conversation téléphonique.
   - ☐ une annonce à la radio.
   - ☐ un message sur un répondeur.

2. **Qui parle à qui ?**
   - ☐ Un mari à sa femme.
   - ☐ Un père à sa fille.
   - ☐ Un frère à sa sœur.

3. **Quel âge a Françoise ?** ....

4. **Elle a trouvé un nouveau travail.**
   ☐ VRAI ☐ FAUX ☐ *On ne sait pas.*

5. **Où est le frère de Françoise actuellement ?** ....

6. **Il travaille :**
   - ☐ dans une agence de voyages.
   - ☐ dans une compagnie téléphonique.
   - ☐ dans le cinéma.

7. **Pour la personne qui parle, en quelle saison est-on ?**
   - ☐ En été.
   - ☐ En automne.
   - ☐ En hiver.
   - ☐ Au printemps.

6

1. **Ce document est :**
   - ☐ l'interview d'un artiste par une journaliste.
   - ☐ l'interview d'un artiste par une admiratrice.
   - ☐ une discussion amicale.

2. **La première personne qui parle est :**
   - ☐ satisfaite.
   - ☐ surprise et mécontente.
   - ☐ très en colère.

3. **L'exposition a lieu :**
   - ☐ à Paris.
   - ☐ près de Paris.
   - ☐ *On ne sait pas.*

4. **L'artiste a déjà fait une exposition à cet endroit auparavant.**
   ☐ VRAI ☐ FAUX ☐ *On ne sait pas.*

5. **Il ne veut pas venir parce que :**
   - ☐ il n'est pas satisfait de ses œuvres.
   - ☐ il méprise le grand public.
   - ☐ il est timide.
   - ☐ il a peur de rencontrer des gens qu'il connaît.

6. **C'est un :** ☐ sculpteur ☐ peintre ☐ photographe **qui aujourd'hui est :** ☐ encore inconnu. ☐ peu connu. ☐ très connu.

7. Il est très important pour lui de pouvoir vendre ses œuvres.
☐ VRAI ☐ FAUX ☐ *On ne sait pas.*

7

1. Ce document est :
☐ une annonce dans un lieu public.
☐ une conversation téléphonique.
☐ un message sur un répondeur téléphonique.

2. À qui parle la dame ?
☐ À son père.
☐ À un ami.
☐ À son mari.

3. Que lui est-il arrivé avec sa voiture ?
☐ Elle a été victime d'un accident.
☐ Elle a provoqué un accident.
☐ La voiture a été volée.

4. Où cela est-il arrivé ?
☐ En ville.
☐ Sur l'autoroute.
☐ *On ne sait pas.*

5. Quand cela est arrivé, la voiture était arrêtée.
☐ VRAI ☐ FAUX ☐ *On ne sait pas.*

6. Quelles parties de la voiture sont abîmées ?

a) Le côté gauche	☐ OUI	☐ NON	☐ *On ne sait pas.*
b) Le côté droit	☐ OUI	☐ NON	☐ *On ne sait pas.*
c) Le moteur	☐ OUI	☐ NON	☐ *On ne sait pas.*

7. Quel est le numéro de téléphone du garage ? ....

8. Pourquoi faut-il passer au garage rapidement ? ....

8

1. Ce dialogue est extrait :
☐ d'une émission de radio.
☐ d'une conversation téléphonique.
☐ d'un sondage dans la rue.

2. La dame :
☐ n'a pas le temps de répondre.
☐ n'a pas beaucoup de temps, mais veut bien répondre.
☐ a tout son temps pour répondre.

3. Les travaux dont on parle concernent :
☐ toute la ville.
☐ une partie de la ville.
☐ le quartier où habite la dame.

4. La Mairie veut connaître l'opinion des habitants :
☐ avant de commencer les travaux.
☐ alors que les travaux ont déjà commencé.
☐ alors que les travaux sont déjà terminés.

5. La dame :
☐ pense qu'il fallait poser la question plus tôt.
☐ est très contente qu'on lui pose cette question.
☐ refuse de répondre à la question.

6. Que pense-t-elle des travaux?
- ☐ C'est indispensable, même si ça coûte cher.
- ☐ Ce n'est pas indispensable et ça coûte cher.
- ☐ Elle n'a pas vraiment d'opinion.

7. Pourquoi a-t-elle peur de devoir déménager?
- ☐ Parce que les travaux font trop de bruit.
- ☐ Parce qu'elle n'aime pas les arbres et les fontaines.
- ☐ Parce que les impôts locaux deviennent trop élevés pour elle.

8. De combien ont augmenté les impôts? ....

9. D'après la dame, la Mairie ne s'intéresse qu'aux gens riches.
☐ VRAI ☐ FAUX ☐ *On ne sait pas.*

EXEMPLE D'ÉPREUVE
25 points

Vous allez entendre trois documents sonores, correspondant à des situations différentes.

Pour le premier et le deuxième documents, vous aurez :
- **30 secondes pour lire les questions ;**
- **une première écoute, puis 30 secondes de pause pour commencer à répondre aux questions ;**
- **une deuxième écoute, puis 1 minute de pause pour compléter vos réponses.**

Répondez aux questions, en cochant (☒) la bonne réponse, ou en écrivant l'information demandée.

EXERCICE 1

6 points

1. **SOS Écoute, c'est :** *0,5 point*
   - ☐ une société de dépannage téléphonique.
   - ☐ une association de soutien psychologique.
   - ☐ une association d'aide à l'emploi.

2. **Depuis combien de temps existe-t-elle ?** .... *0,5 point*

3. **Combien de personnes y travaillent ?** .... *0,5 point*

4. **Qui peut appeler SOS Écoute ?** *1 point*
   - ☐ Seulement les personnes déjà inscrites.
   - ☐ Seulement les personnes qui sont au chômage.
   - ☐ Toute personne ayant besoin d'aide.

5. **SOS Écoute fonctionne jour et nuit.** *0,5 point*
   ☐ VRAI ☐ FAUX ☐ *On ne sait pas.*

6. **Aujourd'hui, SOS Écoute a besoin :** *1 point*
   ☐ de publicité. ☐ d'argent. ☐ de volontaires.

7. **Vrai, faux, on ne sait pas ? Cochez la case correspondante.** *2 points*

Pour travailler à SOS Écoute, il faut :

	VRAI	FAUX	*On ne sait pas.*
a) être libre tous les soirs.			
b) avoir plus de 18 ans.			
c) avoir déjà une bonne formation.			
d) être motivé.			

EXERCICE 2

6 points

1. **Que fait Claude ?** *0,5 point*
   - ☐ Il discute avec Julie.
   - ☐ Il laisse un message sur le répondeur de Julie.
   - ☐ Il laisse un message à Julie pour Nathalie.

2. **Claude appelle :** *1 point*
   - ☐ pour dire qu'il ne viendra pas.
   - ☐ pour expliquer pourquoi il n'est pas venu.
   - ☐ pour s'excuser d'être en retard.

3. **Le 14 avril, c'est** *(plusieurs réponses possibles)* **:** *1 point*
   - ☐ la date du jour.
   - ☐ l'anniversaire de Julie.
   - ☐ l'anniversaire de Paul.
   - ☐ l'anniversaire de Nathalie.

4. **Que se passe-t-il en réalité ?** *1,5 point*
   - ☐ Julie fait une plaisanterie à Claude.
   - ☐ Claude fait une plaisanterie à Julie.
   - ☐ Claude s'est trompé et essaie de s'expliquer.

5. **Comment réagit Julie ?** *1 point*
   - ☐ Elle est en colère.
   - ☐ Elle est amusée
   - ☐ *On ne sait pas.*

6. **La conversation se termine :** *1 point*
   - ☐ amicalement.
   - ☐ calmement.
   - ☐ brutalement.

EXERCICE 3

13 points

Vous allez entendre un document sonore. Vous aurez tout d'abord 1 minute pour lire les questions, puis vous entendrez deux fois l'enregistrement avec une pause de 3 minutes entre les deux écoutes. Après la deuxième écoute, vous aurez encore 2 minutes pour compléter vos réponses.
Répondez aux questions, en cochant la bonne réponse, ou en écrivant l'information demandée.

1. **Ce document a un caractère :** *1 point*
   ☐ économique. ☐ historique. ☐ touristique.

2. **Combien y a-t-il d'îles dans la région de Bali ?** ....
   1 point

3. **Quelle est la taille de Bali ?** ....
   1 point

4. **Certaines personnes regrettent que Bali ait changé à cause du tourisme.** *1,5 point*
   ☐ VRAI ☐ FAUX ☐ *On ne sait pas.*

5. Qu'en pense le journaliste? *1,5 point*

☐ Le tourisme n'est pas si important que cela à Bali.
☐ Le tourisme est important et a fait perdre à Bali son caractère.
☐ Le tourisme est important mais Bali est restée très agréable.

6. Vrai, faux, on ne sait pas? Cochez la case correspondante. *2 points*

	VRAI	FAUX	*On ne sait pas.*
a) Les plages de Bali ne méritent pas le voyage.			
b) Les gens de Bali ont conservé leurs qualités, malgré le tourisme.			
c) Le volcan de Bali est le plus haut de toute l'Asie.			
d) À Bali, les étrangers n'ont pas le droit d'entrer dans les temples.			

7. Les possibilités de voyager à Bali sont: *1,5 point*

☐ nombreuses mais assez chères.
☐ nombreuses et pas trop chères.
☐ pas très chères, mais assez rares.

8. Quel est l'exemple de tarif donné? Complétez le tableau. *2 points*

Durée du séjour	Prix minimum
	.... euros, ☐ avec le billet d'avion ☐ sans le billet d'avion

9. Le journaliste conseille d'aller à Bali: *1,5 point*

☐ dès à présent.
☐ plus tard dans l'année.
☐ à n'importe quel moment de l'année.

AUTO-ÉVALUATION

	oui	pas toujours	pas encore
Je peux écouter un document radiophonique, s'il n'est pas trop long ou trop rapide, et dire de quoi il s'agit, à qui il s'adresse et quel est le sujet abordé.	☐	☐	☐
Je peux comprendre, dans un même document, plusieurs informations données en chiffres, comme des dates, des heures, des prix, des numéros de téléphone, etc.	☐	☐	☐
Je peux comprendre des annonces, des instructions, des modes d'emploi, des informations pratiques sur des sujets de la vie quotidienne.	☐	☐	☐
Je peux identifier un lieu, une personne, un objet, un événement en entendant sa description.	☐	☐	☐
Je peux comprendre un récit et identifier les événements, les lieux où ils se sont produits, les personnes concernées.	☐	☐	☐
Je peux comprendre un petit exposé sur un sujet simple et identifier les informations les plus importantes.	☐	☐	☐
Je peux écouter une conversation entre deux personnes et comprendre de qui ou de quoi elles parlent.	☐	☐	☐
Je peux comprendre les opinions, les sentiments et les idées exprimées par une ou plusieurs personnes, si elles s'expriment de manière claire et pas trop rapidement.	☐	☐	☐

COMPRÉHENSION DES ÉCRITS

Nature de l'épreuve

durée *35 minutes* | **note sur** */25*

► Réponse à des questionnaires de compréhension portant sur deux documents écrits :
– dégager des informations utiles par rapport à une tâche donnée ;
– analyser le contenu d'un document d'intérêt général.

COMPRÉHENSION DES ÉCRITS

Cette épreuve comporte deux exercices de compréhension de l'écrit :
- **Exercice 1 :** dégager des informations utiles par rapport à une tâche donnée.
- **Exercice 2 :** analyser le contenu d'un document d'intérêt général (lire pour s'informer).

➲ **L'exercice 1** teste votre compréhension et votre capacité à transmettre les informations à partir d'un ou de plusieurs brefs documents écrits d'une longueur totale de 300 mots environ. Il s'agit de ***lire pour s'orienter***, c'est-à-dire de sélectionner une ou plusieurs informations en vue de la/les transmettre de manière synthétique (claire et concise) à une autre personne.
Repérez les informations directement utiles à la situation de départ et reportez-les dans un tableau ou dans une grille de lecture. Les réponses se font sous la forme de cases à cocher, de citations de mots ou groupes de mots du texte, ou de très brèves reformulations (3 ou 4 mots).
Toute **situation de la vie courante** est proposée : la famille, les loisirs, les centres d'intérêt, le travail, les voyages et l'actualité.

➲ **L'exercice 2** porte sur un texte d'environ 300 mots pour lequel sera validée votre aptitude à comprendre des documents authentiques d'intérêt général (avec l'aide de questions). Vous devrez être capable de percevoir et de caractériser brièvement la nature, la fonction, le sujet, le ton et le registre du texte. Vous devrez aussi identifier et classer les informations, les idées et les points de vue exprimés.
Qu'est-ce qu'un document d'intérêt général ? Un document qui n'utilise pas une langue spécialisée.
Tous les domaines peuvent donc être abordés (personnel, public, professionnel, éducatif), à condition que la langue soit standard.

➲ Rappel. Les trois niveaux de compréhension sont :

- Niveau 1 : *compréhension globale*
  - Identifier la nature du document, son origine, sa fonction (s'agit-il d'informer le lecteur ? de le convaincre ? de le guider ? etc.), le public auquel il est destiné.
  - Dégager le thème essentiel abordé.
- Niveau 2 : *compréhension de détail*
  - Repérer les informations essentielles, pertinentes.
  - Classer/comparer/hiérarchiser ces informations.
- Niveau 3 : *compréhension fine*
  - Saisir la totalité du texte.
  - Interpréter l'implicite.

Pour vous aider

Conseil de méthode

Prenez connaissance des questions avant de commencer à lire le texte car, dès la première lecture, certaines réponses vous apparaîtront immédiatement.

Conseils pour bien gérer votre temps le jour de l'examen

Deux facteurs sont importants : la vitesse de lecture et la capacité de concentration. Pour la vitesse de lecture, vous pouvez vous chronométrer et mesurer le temps moyen qu'il vous faut pour lire un texte en français de 300 mots, 400 mots, 500 mots ou plus. La concentration vous permet de retenir des éléments du texte. Avant même de vous lancer dans la lecture d'un texte, il peut être utile de déterminer s'il convient à l'évidence de faire attention aux noms propres, à la chronologie, aux faits marquants ou aux données chiffrées par exemple.
Lire vite est une chose, retenir ce qu'on lit en est une autre ; dans tous les cas, il est essentiel d'avoir un bon système de repères.

Approche globale : première approche – apparence du texte – organisation générale

Présentation matérielle
Identifiez les parties d'un texte, sachez les localiser et en connaître les fonctions.

Le surtitre	Placé au-dessus du titre, en général en caractères différents. Il peut être direct, allusif, imagé, être composé d'un jeu de mots. Sa fonction : il offre un cadre général.
Le titre	Police de caractères plus grosse pour assurer une visibilité maximale. Sa fonction : il est essentiel pour comprendre le texte.
Le sous-titre	Placé sous le titre, en caractères différents du titre et du corps du texte, en caractères gras. Sa fonction : il complète le titre, apporte une précision, une orientation.
Le chapeau, l'encadré	Sur deux à cinq lignes, sous le titre (à la place du sous-titre). Sa fonction : elle est proche de celle de l'intertitre, il reprend une idée importante, il est là pour attirer l'attention du lecteur, susciter l'intérêt.
L'intertitre	Entre les paragraphes. Sa fonction : il donne un repère dans le texte.
Le paragraphe	Reconnaissable à son retrait de la marge au début de la première phrase (le retrait n'est pas systématiquement utilisé). Les connecteurs en tête de paragraphe facilitent la lecture. Il peut s'agir de mots tels que : d'abord, ensuite, mais, alors, pourtant, etc. Il peut aussi s'agir de termes de reprise qui permettent de saisir l'insistance, ou de mots-clés, ces mots importants par rapport au sujet traité que l'on repère au fil de la lecture.
L'illustration et la typographie	On les appelle les éléments paratextuels. Pour l'illustration : les photographies, les dessins, les tableaux, les schémas, les diagrammes, les figures, etc. Pour la typographie : corps, gras, italiques, espacement, soulignement, marges, etc. Leur fonction : tous ces éléments fournissent une information complémentaire.

En première lecture
Repérez les éléments mis en valeur (voir liste ci-dessus) ainsi que la composition en paragraphes, les mots-clés et les connecteurs indicateurs du temps, de la cause et de la conséquence, de l'opposition (d'abord, parce que, donc, mais, etc.).

Lexique et grammaire
Vous devez avoir pris l'habitude de tirer parti de tous les éléments communiqués par le contexte pour être capable de déduire le sens de termes ou d'expressions que vous ne connaissez pas.

Pour vous entraîner

Les activités proposées dans cette partie permettent de développer des stratégies, de suivre des procédures utiles à la réalisation des exercices 1 et 2 selon les cas. Les mises en situation sont délibérément variées, non prévisibles sur le plan thématique. Elles requièrent une capacité d'adaptation au contexte proposé et, de fait, une certaine souplesse d'esprit.

L'exercice 1 de l'épreuve vous mettra en situation de *Lire pour s'orienter* en vue de réaliser une tâche. Il conviendra de développer une capacité à faire une lecture sélective, balayer un document du regard, trouver l'information rapidement, classer et hiérarchiser afin de donner un conseil utile à la réalisation d'une tâche ou faire soi-même un choix.

L'exercice 2 de l'épreuve vous exposera à *Lire pour s'informer* et fera plutôt appel à votre capacité à :
- identifier et caractériser la nature et la fonction du document ;
- reconnaître la prise de position de l'auteur ;
- dégager le thème principal et l'organisation d'ensemble (compréhension globale) ;
- extraire les informations essentielles (compréhension sélective) à l'aide du questionnement ;
- classer, hiérarchiser, comparer ces informations.

Les activités sont classées pour servir plus particulièrement l'un ou l'autre exercice.

LIRE POUR S'ORIENTER

Les trois premières activités sont très courtes. Essayez de les réaliser de manière enchaînée.

On vous demande de vous renseigner pour savoir comment passer l'annonce d'une naissance dans *Le Figaro* et quel budget prévoir.

Le carnet du jour

Les annonces sont reçues avec justification d'identité.
Par téléphone au **01 56 52 27 27**
Par télécopie au **01 56 52 20 90**
Par e-mail : carnetdujour@publiprint.fr
En nos bureaux : 66, avenue Marceau, 75008 Paris.
Par correspondance.

Tarif de la ligne TTC : 20,50 € la semaine ;
25,50 € le jour de diffusion des magazines (vendredi ou samedi).
Réduction à nos abonnés : nous consulter.

Les lignes comportant des caractères gras sont facturées sur la base de deux lignes.
Les effets de composition sont payants.
Chaque texte doit comporter un minimum de 10 lignes.

Retrouvez nos annonces sur : **www.lefigaro.fr**

Source : *Le Figaro*, 2 août 2005.

1. **Quelles informations identifiez-vous immédiatement en regardant cette annonce?**
   ....
   ....

2. **Pourquoi ces informations sont-elles mises en évidence?**
   ....
   ....
   ....

3. **Combien de possibilités de contacter le journal vous sont-elles proposées et quelles sont-elles?**
   ....
   ....

4. **Si vous n'êtes pas abonné(e) au journal, quel est le budget minimal à prévoir pour une annonce?**
   ....
   ....

5. **Combien de jours l'annonce paraîtra-t-elle?** ....

6. **Où l'annonce paraîtra-t-elle?** ....

2

Bénévoles de nature

Comment participer à la protection de la nature? Pour répondre à cette question, ce «guide des actions bénévoles» est bien utile. Il pourrait être trois fois plus gros quand on sait qu'en France près de 40000 associations assurent la défense de l'environnement: aux côtés des poids lourds (WWF, Greenpeace...), une multitude de passionnés recensent les oiseaux, interviennent dans les écoles ou auprès des pouvoirs publics... Le guide ne se contente pas de donner des contacts, il rappelle les grands enjeux écologiques, et les réglementations existantes.

S.B.

Agir pour la protection de la nature, Rémy Michel,
Le Pré aux Clercs.

Libération, samedi 25 et dimanche 26 juin 2005.

Faites le point sur le document lui-même.

1. **De quel type de texte s'agit-il?**
   ☐ Argumentatif. ☐ Expressif ou persuasif. ☐ Explicatif.
   ☐ Informatif. ☐ Injonctif. ☐ Narratif.

2. **Quel est le style d'écriture?**
   ☐ Administratif. ☐ Journalistique. ☐ Littéraire.
   ☐ Polémique. ☐ Politique.

3. **Quelle est la forme adoptée?**
   ☐ Récit. ☐ Reportage. ☐ Témoignage.
   ☐ Biographie. ☐ Interview. ☐ Critique.

4. **Le titre de l'article pourrait être:**
   ☐ Donner son temps par nature.
   ☐ Donner son temps pour la nature.
   ☐ Donner du temps à la nature.

5. On s'étonne que le guide :
- ☐ ait peu de pages.
- ☐ ait beaucoup de pages.
- ☐ ait énormément de pages.

6. Que trouve-t-on dans le guide ? *(plusieurs réponses possibles)*
- ☐ Des adresses. ☐ Des jeux.
- ☐ Des alertes sur ce qui menace l'environnement.
- ☐ Des propositions de règles et de règlements.

7. Quel est le titre du guide ? ....

3 **Vous tombez sur un vieux journal et lisez la critique suivante :**

14 juillet 04

LIRE

Robinson sur l'eau

À 56 ans, Tavae Raioaoa pêche le mahi mahi dans les plus beaux paysages de la planète, Tahiti. Son existence est paisible, entre une famille qui l'aime et un rapport tout simple à la nature.
Le rêve va pourtant se transformer en cauchemar le 15 mars 2002. Parti pêcher seul à bord de son petit bateau de huit mètres, son moteur rend l'âme. C'est une première. Tavae ne s'affole pas. Il remonte ses filets, essaie de joindre son frère avec la radio, d'autres correspondants, personne ne répond. Qu'importe : il va se laisser dériver jusqu'à l'île de Maiao. Il connaît par cœur les coins et les recoins de son bout d'océan Pacifique. Mais il s'endort. Au réveil, il n'y a plus que la mer.
L'immensité. L'inconnu. Il sait que des secours vont être organisés, qu'un cargo va le repérer. Mais les jours passent et rien. Il mange du poisson, boit le moins d'eau possible, s'en remet à Dieu. L'odyssée de ce nouveau Robinson va durer 118 jours. Il est retrouvé au large de l'atoll de Aitutaki, dans l'archipel des Cook… à plus de 1 200 kilomètres de son point de départ ! Sa constitution exceptionnelle l'a sauvé. Après d'affreuses souffrances. Physiques, mais surtout morales.
Un témoignage magnifique de dignité.
Si loin du monde, Tavae, coll. Pocket.

Jacques Lindecker, *L'Alsace*, juillet 2004.

Répondez aux questions.

1. De quoi s'agit-il ?
- ☐ D'un roman d'aventure.
- ☐ D'un roman policier.
- ☐ D'un récit autobiographique.

2. Quel est le thème principal ?
- ☐ La vie d'un homme à Tahiti.
- ☐ La fin d'une vie.
- ☐ La survie en mer.
- ☐ La vie en mer.

3. Que sait-on de Tavae Raioaoa ?

Âge : ....

Métier : ....

Lieu de résidence : ....

Situation familiale : ....

4. Quand sa vie a-t-elle basculé? ....

5. Quel problème a-t-il rencontré? ....

6. Comment Tavae a-t-il réagi devant le problème?

☐ Il a tout de suite paniqué.
☐ Il a eu peur mais a essayé de se calmer.
☐ Il n'a pas du tout eu peur.
☐ *On ne sait pas.*

7. Pour atteindre l'île de Maiao, Tavae prend une décision:

☐ se coucher au fond de son bateau et dormir.
☐ ramer pour mener son bateau.
☐ utiliser les courants pour qu'ils mènent son bateau.

8. À qui peut-on comparer Tavae? ....

9. Pendant les 118 jours que dure sa dérive, Tavae:

☐ pêche. ☐ cueille. ☐ sème. ☐ cuit.
☐ boit. ☐ mange. ☐ prie. ☐ lit.

10. Qui le retrouve?

☐ Un habitant de l'atoll d'Aitutaki. ☐ Un cargo.
☐ Sa famille. ☐ *On ne sait pas.*

11. Que signifie: « sa constitution l'a sauvé »? ....

4 Synthèse des activités 2 et 3

Vous devez faire un cadeau et vous aimez tout autant *Agir pour la protection de la nature* que *Si loin du monde.*
Quel livre choisissez-vous si:

	Agir pour la protection de la nature	*Si loin du monde*
a) les raisons économiques l'emportent.		
b) vous craignez d'avoir à le commander parce que l'ouvrage n'est plus en rayon.		
c) le destinataire du cadeau est fasciné par l'homme et ses exploits.		
d) le destinataire du cadeau cultive* ce qu'on appelle un comportement « citoyen ».		
e) le destinataire du cadeau est un rêveur.		
f) le destinataire du cadeau est d'origine tahitienne.		
g) le destinataire du cadeau aime s'engager dans des actions à caractère humanitaire.		

* *cultiver* dans le sens montrer de la régularité, de la fidélité, de la constance.

VERS L'ÉPREUVE

Vous lisez avec attention la sélection de programmes radio et cet encadré retient votre attention.

Le week-end, vous faites la grasse matinée et vous mettez la radio dès le réveil.
En dehors de samedi où vous êtes invité(e) à dîner, vous ne comptez pas bouger de chez vous.
Vous préférez les émissions en direct aux émissions enregistrées, et les grandes causes vous passionnent.

LES RENDEZ-VOUS DE LA SEMAINE

LUNDI 18 JUILLET

XXES RENCONTRES DE PÉTRARQUE
17.30 FRANCE-CULTURE
De lundi à vendredi, France-Culture retransmet les débats des « Rencontres de Pétrarque », à Montpellier. Cette année, philosophes, chercheurs, essayistes et journalistes débattront autour du thème de « La peur ».

VENDREDI 22 JUILLET

FESTIVAL DES VIEILLES CHARRUES
21.00 FRANCE-INTER
Trois soirs de suite, jusqu'à minuit, Laurent Lavige présente en direct de Carhaix (Finistère) le Festival des Vieilles Charrues. Avec New Order, Luke, Jeanne Cherhal et le buena vista Social Club, vendredi 22 juillet; Iggy and The Stooges, Amadou et Mariam, The Sunday Drivers, Louis Bertignac et Jamie Collu, samedi 23;
Franz Ferdinand, Tiken Jah Fakoly et Tinariwen, dimanche 24.

SAMEDI 23 JUILLET

LA SAGA DES ROBOTS
5.49 (ET 7.49, 9.49, 11.49, 14.19)
FRANCE-INFO
Cette semaine, Jérôme Colombain s'intéresse aux robots dans la fiction (littérature et cinéma).

DIMANCHE 24 JUILLET

CLASSIC-CLASSIQUE D'ÉTÉ
13.00 RTL
Alain Duault propose une émission spéciale Luciano Pavarotti, dont un entretien exclusif avec le ténor.

PAROLES D'ACCUSÉS
13.15 EUROPE 1
Spécialiste des questions judiciaires sur Europe 1, Pierre Rancé donne chaque dimanche la parole à des « justiciables » accusés et maltraités avant d'avoir été reconnus innocents.

CONCERTS D'IGGY POP
21.00 OUI FM
Diffusion du concert Live at Avenue B, enregistré à Bruxelles en décembre 1999.

Que sélectionnez-vous ?

Jour	Heure	Radio	Émission

Vous formez un groupe de trois amis et, cet été, vous voulez absolument travailler pendant un mois et gagner un peu d'argent. Chacun aimerait avoir une activité qui soit proche de ses études.

Gilles, enfin, est libre car il vient de terminer l'IUFM (Institut universitaire de formation des maîtres), et sera professeur des écoles à la rentrée prochaine, en septembre.
Alix est en première année de médecine. Il doit passer des épreuves de rattrapage début septembre et il a absolument besoin de conserver du temps pour réviser les matières concernées.

Vos examens se terminent à la mi-juin et après, vous êtes libre jusqu'au 6 septembre. Vous avez besoin d'argent pour financer vos études d'ingénieur des eaux et forêts l'année prochaine.

Les trois annonces ci-dessous vont peut-être vous permettre de réaliser vos souhaits.

ASSOCIATIONS HUMANITAIRES

Le WWF, l'organisation mondiale de protection de l'environnement, souhaite aujourd'hui augmenter le nombre de ses DONATEURS, afin de mieux poursuivre ses missions.

*pour une planète vivante**

Aidez le WWF à poursuivre son action en recrutant de nouveaux donateurs du 1er au 31 août 2005.

Contrat CDD

Poste basé à Paris

Si vous êtes sensibles à la protection de l'environnement, enthousiastes et dynamiques, si vous aimez travailler en équipe et avez le goût du contact, appelez au 01 41 16 77 77 du lundi au vendredi entre 10 h et 16 h.

Médecins du Monde, association de solidarité internationale ayant pour vocation de soigner les populations les plus vulnérables dans les situations de crise et d'exclusion partout dans le monde et en France, souhaite aujourd'hui développer son potentiel de donateurs individuels afin de se doter des moyens nécessaires à la poursuite de son action.

Aidez-nous à poursuivre notre mission en recrutant de nouveaux donateurs sur des lieux publics à PARIS du 30 juin au 28 juillet 2005.

CDD à TEMPS PLEIN ou à TEMPS PARTIEL

RÉMUNÉRATION HORAIRE FIXE : 11,10 €
(primes de précarité et indemnités de congés payés incluses).

Si vous êtes sensible aux causes défendues par Médecins du Monde, si vous aimez travailler en équipe et avez le sens du contact,

Appelez ONG-Conseil au 01 45 89 12 94

Aide et Action, première association française faisant appel au parrainage pour le développement par l'éducation, souhaite aujourd'hui augmenter le nombre de ses parrains et donateurs pour mieux poursuivre sa mission.

Aidez-nous à poursuivre notre mission en recrutant de nouveaux donateurs sur les lieux publics à Paris, du 13 juin au 12 juillet 2005.
CDD À TEMPS PLEIN OU PARTIEL.

Rémunération horaire fixe: 11,10 € (primes de précarité et indemnités de congés payés incluses).

Si vous êtes sensible à l'amélioration de la scolarisation dans les pays du Sud, enthousiaste et dynamique, si vous aimez travailler en équipe,

appelez ONG-Conseil au 01 45 89 12 94

1. Complétez de manière précise le tableau ci-dessous:

	WWF	Médecins du Monde	Aide et Action
Type d'action			
Type d'emploi proposé			
Formules de contrat et temps de travail			
Contraintes			
Qualités humaines demandées			
Lieu de travail			
Salaire			
Qui contacter			

2. Que choisissez-vous et que conseillez-vous à vos amis?

Qui?	Quelle ONG?	Quand?	Comment?

3 **Cette année, vous avez décidé d'assister aux 24 heures du Mans et de passer quelques jours dans la région. Vous avez trouvé une location en plein centre-ville et vous recevez cette lettre des propriétaires.**

Date: 11/02/2005 16:41
Expéditeur: bruno.veronique@hotmail.net
Pour: shahab.s@comcast.net
Priorité: Normale
Objet: Re: 7bis rue Laroche, Le Mans, Sarthe

Cher Shahab,

Merci pour le chèque de 200 euros que nous avons reçu par courrier aujourd'hui. Cela confirme la réservation pour le 7 juin, pour sept nuits. Vous pouvez nous adresser le solde (250 euros) dans trois mois afin que tout soit réglé un mois avant votre arrivée.

Nous sommes très heureux que vous et votre famille séjourniez dans notre maison. Nous espérons que vous aurez du beau temps et que la course sera pleine de suspense. L'adresse de la maison est 7 bis rue Laroche, au Mans. Le numéro de téléphone de la maison est le 02 40 19 96 00 et ne peut être utilisé que pour les appels locaux.

Pour vous rendre à la maison en venant de l'autoroute de l'Ouest:
- quittez l'autoroute à la sortie «Le Mans-centre»,
- entrez dans la ville en suivant la rue de Paris, l'avenue Bollée puis, au bout de l'avenue, en remontant vers la droite en direction de la place du théâtre. Engagez-vous sur la place (passez le théâtre à votre droite, la cathédrale est en face de vous),
- tournez à gauche au feu et prenez la rue qui longe les remparts en laissant le tunnel sur votre droite (sortie),
- vous arriverez Place de l'Éperon. Là, prenez la troisième rue à droite, traversez la Sarthe (rivière), puis prenez la troisième rue à gauche.

Vous pouvez arriver à la maison avant 16 h, heure habituelle de remise des clefs, car la maison est inoccupée. La clef de la maison se trouve dans une petite armoire à code, placée à gauche de la porte.

Voici les instructions pour ouvrir l'armoire et prendre la clef de la porte:

1. Soulevez le volet en plastique noir protégeant les mollettes et le bouton de validation.
2. Faites tourner chaque mollette afin d'aligner les chiffres 5260.
3. Appuyez sur le bouton de validation (en haut à gauche de la combinaison) pour ouvrir la porte. La porte s'enlève entièrement.
4. Ôtez la porte.
5. Remettez ou enlevez la clef.
6. Fermez la porte de ce compartiment.
7. Mélangez les numéros de la combinaison pour verrouiller la porte et faire disparaître la combinaison puis refermez le volet.

L'heure de départ est 10 h du matin ou plus tard si nous vous informons qu'il n'y a pas de nouveau locataire dans la journée.

Quand vous partez, veuillez replacer la clef dans l'armoire.

N'hésitez pas à nous appeler sur notre portable au 06 06 77 12 99 si vous avez des problèmes pour prendre la clef.

Nous espérons que vous apprécierez votre séjour.

Cordialement,

Bruno et Véronique

1. **Sur le plan, tracez l'itinéraire que vous allez suivre au crayon pour vous rendre au 7 bis rue Laroche.**

2. **Votre location :**

a) Quand allez-vous envoyer un deuxième chèque ?

....

b) Quel est le prix de votre location ?

....

c) À partir de quelle heure pourrez-vous entrer dans la maison ?

....

d) Où se trouve l'armoire à code et quel est le code ?

....

e) Quand et à quelle heure devez-vous quitter la maison ?

....

f) Comment allez-vous procéder pour remettre la clef en sécurité ?

....

g) Que faire si vous avez un problème ?

....

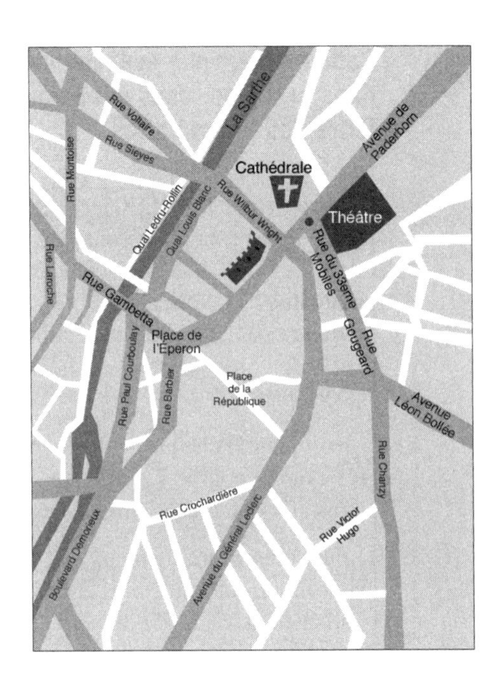

4 **Vous voulez passer un week-end en Espagne, en Italie ou en Grèce. Rien ne vous fait plus plaisir que de vous imprégner de l'ambiance d'une ville. Votre budget est limité à 250 euros. Avant de présenter ce projet à votre compagnon de voyage, vous étudiez cette offre.**

Promo Vols

Barcelone	Vol A/R	105 €*	
Madrid	Vol A/R	105 €*	~~130 €~~
Rome	Vol A/R	143 €*	~~165 €~~
Athènes	Vol A/R	244 €*	~~375 €~~
Marrakech	Vol A/R	336 €*	~~360 €~~
New York	Vol A/R	375 €*	~~419 €~~

~~Plus d'offres vols~~

Promo Hôtels

Hôtels de Charme	1 nuit 3*	72 €*
Rome	1 nuit	61 €*
Amsterdam	1 nuit 3*	59 €*
Barcelone	1 nuit 4*	66 €*
Parcs Disney		82 €*
New York	1 nuit 2*	151 €*

~~Plus d'offres hôtels~~

Promo Voitures

Malaga	20 €*
Miami	21 €*
Lisbonne	23 €*
Los Angeles	25 €*
Paris	33 €*
Nice	35 €*

Plus d'offres voitures

1. **Les prix les plus intéressants classés par destination sont :**

Destination	Prix du vol	Type de l'hôtel	Prix de la nuit d'hôtel	Location voiture

2. Les prix les plus intéressants classés par prix de la nuit d'hôtel sont:

Prix du vol	Destination	Type de l'hôtel	Prix de la nuit d'hôtel	Location voiture

3. Quel est le meilleur choix?

Destination	Prix du vol A/R Départ vendredi Retour dimanche	Frais d'hébergement	Total

5 **Ce week-end, vous voulez passer une après-midi à la Cité de la Villette et vous souhaitez y aller avec une dizaine d'amis.**
Vous savez que le plus simple est de trouver un point de rendez-vous au centre de Paris.
Après avoir étudié horaires et moyens de transport, vous présentez le projet à vos amis.

Vous voulez finalement passer la journée avec eux et vous rendre à la Cité par les voies navigables de la capitale.

Cité des Sciences et de l'Industrie
30, avenue Corentin-Cariou
75930 Paris cedex 19

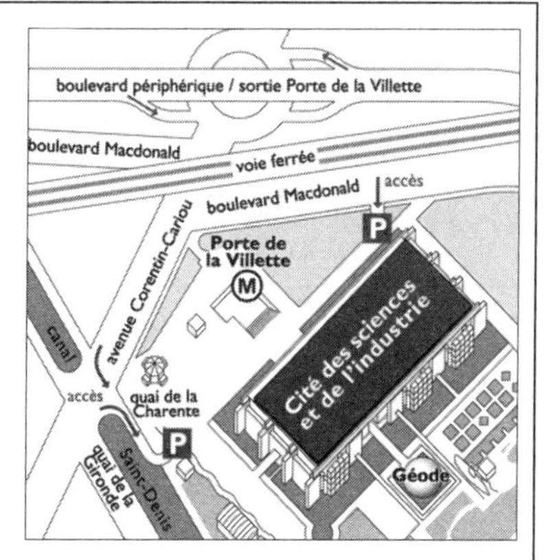

Horaires d'ouverture
Tous les jours de 10 h à 18 h (jusqu'à 19 h le dimanche). Fermé le lundi.

Parking payant: Quai de la Charente et Boulevard Macdonald.

Gare des cars: 40 places.

Venir en transport en commun
• **Métro:** Ligne 7, station «Porte de la Villette».
• **Autobus:** 75, 139, 150, 152, PC2 et PC3, station «Porte de la Villette»

PC2 et PC3 Prix du billet: 1,20 euro.

Venir par la route

Paris périphérique nord, sortie «Porte de la Villette»
• **Parc-autos payant,** entrée quai de la Charente et boulevard Macdonald, 2 euros/h.
• **Gare d'autocar gratuite,** entrée quai de la Charente et boulevard Macdonald.

Venir en deux roues

Un réseau de pistes cyclables vous permet d'atteindre la Cité des Sciences depuis le centre de Paris. Location de vélo: 10 euros la journée.
Un parking à vélo est à votre disposition sur le parvis de la Cité des Sciences, côté Porte de la Villette.

Venir en bateau
Bateaux jusqu'au parc de la Villette.
• **Navettes sur le Bassin de la Villette (depuis le métro Jaurès).**
Toutes les 30 min environ de 11 h à 18 h. Réouverture avril 2002.
Départs alternés: 5 bis, quai de la Loire 75019, Rotonde de Ledoux et le Parc de la Villette.

• **Croisières depuis le musée d'Orsay (face au Louvre)**
La Seine, le port de l'Arsenal (Bastille), les écluses du canal Saint-Martin: un parcours inoubliable de 3 h.
10 euros par personne.

1. Pour s'y rendre :

	Métro	Autobus	Vélo	Voiture	Bateau
a) sans risquer les embouteillages.					
b) sans avoir peur de la pluie.					
c) sans avoir le mal de mer.					
d) quand on n'est pas sportif.					
e) sans avoir de problème pour se garer.					

2.

	Métro	Autobus	Vélo	Voiture	Bateau	*On ne sait pas.*
a) Moyen le plus rapide.						
b) Moyen le plus économique.						
c) Moyen le plus original.						
d) Moyen le plus coûteux.						

3. Vous proposez donc :
Jour de rendez-vous : ....
Lieu de rendez-vous : ....
Heure de rendez-vous : ....
Temps de transport : ....
Prix : ....
Heure approximative d'entrée à la Cité : ....
Heure maximale de sortie de la Cité : ....

LIRE POUR S'ORIENTER, LIRE POUR S'INFORMER

1

➤ 1re partie

Lisez d'abord les instructions qui suivent puis prenez rapidement connaissance du document avant de faire le travail demandé.

Identifiez les différentes parties de ce document. Que trouve-t-on dans chaque partie et quel en est l'objectif ?

Au-dessus du titre : ....
Titre : ....
Sous le titre : ....
....
....
Rubriques présentées : ....
....
....

CONSEIL DE QUARTIER **BERCY** MAIRIE DE PARIS

LA GAZETTE DE BERCY

Le Magazine du Conseil de Quartier de Bercy - **N° 9 - Printemps 2005 - Gratuit**

Cinémathèque

* Lors de la dernière réunion publique du Conseil de Quartier (le mercredi 16 février 2005), le Directeur général de la Cinémathèque française, Serge Toubiana, est venu présenter sa future implantation au 51 rue de Bercy. L'objectif de la Cinémathèque est de conserver et montrer au public le patrimoine cinématographique français et étranger sous toutes ses formes. C'est fin septembre 2005 que la Cinémathèque française ouvrira ses portes au public dans les murs de feu l'American Center (construit par le célèbre architecte Franck O. Gerhy), néanmoins l'installation des équipes se fera dès le mois de mai. En plus des quatre salles de projection, cet espace aura aussi vocation à accueillir sur 600 m^2 des expositions temporaires (la première aura pour thème la saga artistique de la famille Renoir – père et fils – avec notamment des tableaux du musée d'Orsay), des collections permanentes, une bibliothèque-médiathèque (la fameuse BiFi - Bibliothèque du Film), un bar-restaurant et une librairie-boutique. Plus d'infos sur : www.51ruedebercy.com

Les Animations du Conseil

* À noter dans vos agendas les prochains rendez-vous proposés par la Commission Animations du Conseil de Quartier :
– le dimanche 17 avril : un jeu de piste sur l'histoire du quartier (balade à partir de vieilles photos) qui se terminera à la mairie du XIIe où des « anciens » raconteront le quartier d'antan et où sera présentée une exposition plus globale de vieux clichés de notre arrondissement.
– le dimanche 22 mai : le repas annuel de quartier se tiendra à nouveau place Bernstein. Le repas sera reporté au 12 juin si le référendum avait lieu le 22 mai.

Hep Taxi !

* La borne téléphonique annoncée depuis des mois est enfin opérationnelle. Installée à la station de taxis de la rue des Pirogues de Bercy, elle peut être appelée au : 01 44 75 09 16. Elle est par ailleurs aussi équipée d'un abri couvert type « arrêt de bus ».

Musée des Arts forains

* Une nouvelle salle de 1 800 m^2 baptisée « Le Théâtre du merveilleux » a été inaugurée fin décembre. Elle remplace les anciens Salons de Musique. On pénètre dans ce palais de l'illusion comme dans un cabinet de curiosités et la magie est entretenue par des projections vidéo sur des objets insolites… Plus d'infos : www.pavillons-de-bercy.com

Le Magazine du Conseil de Quartier de Bercy - N° 9 - Printemps 2005.

➤ 2e partie

Répondez aux questions.

1. **Quel est l'événement concernant la dernière réunion du Conseil de quartier ?**
   - ☐ Elle était publique.
   - ☐ C'était la dernière réunion.
   - ☐ Une personnalité s'est déplacée.

2. La Cinémathèque propose uniquement des films étrangers sous-titrés.
☐ VRAI ☐ FAUX ☐ *On ne sait pas.*

3. La Cinémathèque est ouverte au public.
☐ Oui. ☐ Non. ☐ *On ne sait pas.*

4. Dans le passé, on trouvait l'American Center à l'adresse de la Cinémathèque.
☐ VRAI ☐ FAUX ☐ *On ne sait pas.*

5. Combien de films pourront être projetés à une même heure?
☐ 1 seul. ☐ 2. ☐ 4. ☐ 8.

6. L'accès à la Cinémathèque est possible pour les personnes handicapées.
☐ VRAI ☐ FAUX ☐ *On ne sait pas.*

7. L'article est destiné à informer:
☐ le public.
☐ les professionnels du cinéma.
☐ les conseillers de quartier.

8. Vrai, faux, on ne sait pas? Cochez la case correspondante.

	VRAI	**FAUX**	***On ne sait pas.***
a) La Commission Animations du Conseil de Quartier vient d'être créée.			
b) On vous propose de marcher dans le quartier pour découvrir son histoire.			
c) Les « anciens » sont des personnes qui vivent dans le quartier depuis plus d'un an.			
d) Le repas du 22 mai est reporté au 12 juin.			

9. Vrai, faux, on ne sait pas? Cochez la case correspondante.

	VRAI	**FAUX**	***On ne sait pas.***
a) Les délais d'installation de la borne Hep Taxi ! ont été plus ou moins respectés.			
b) On peut téléphoner au numéro indiqué et demander un taxi.			
c) On peut prendre un taxi rue des Pirogues de Bercy.			

10. Qu'est-ce qui a été inauguré fin décembre?
☐ Une salle de cinéma.
☐ Une salle de théâtre.
☐ Une salle de musée.

11. Quelle est sa superficie? ....

12. Le « palais de l'illusion » enchantera particulièrement:
☐ les passionnés de magie.
☐ les passionnés en tous genres.
☐ les passionnés de vidéo.

Ce message vient de vous parvenir :

> **Chers collègues,**
>
> **Comme la plupart d'entre vous le savent maintenant, il m'arrive de jouer au théâtre !...**
> **Cette année, c'est**
>
> **LE DINDON**, **de Georges Feydeau,**
> **au pavillon des Ateliers de l'ADAC, 11 place Nationale, Paris 13e,**
> **les samedi 9 avril à 20 h 30 et**
> **dimanche 10 avril 2005 à 14 h 30 et 18 h 00**
>
> Votre présence me ferait bien plaisir,
> Amitiés,
> Annie

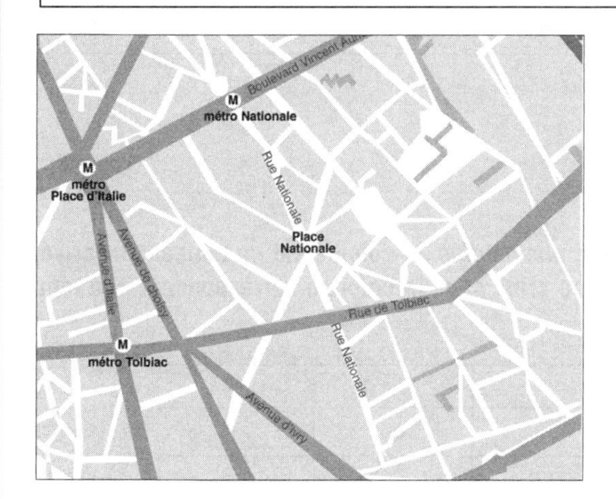

Tarifs : **10 € pour étudiants, moins de 25 ans, membres de l'ADAC.**
12 € pour les autres. Gratuit pour les enfants.

Répondez aux questions.

1. **Qui écrit ?** ....
2. **Quelle est votre relation ?** ....
3. **Quel est son hobby ?** ....
4. **Que propose-t-elle ?** ....
5. **Combien de représentations y a-t-il ?** ....
6. **À vous qui ne connaissez pas l'ADAC, qu'est-ce que ce message vous apprend ?**
   ....
   ....
7. **Quel est le nom de la troupe ?** ....
8. **Quel en est le metteur en scène ?** ....
9. **L'achat des places peut-il se faire par téléphone ?**
   ☐ Oui. ☐ Non. ☐ *On ne sait pas.*
10. **À quel prix achèterez-vous le billet ?** ....
11. **Quels transports en commun sont à votre disposition ?** ....

LIRE POUR S'INFORMER

Jeunes.com !

Quels sont les médias favoris des jeunes européens de 15 à 24 ans ? D'abord, il y a la télé, qu'ils regardent de moins en moins mais qui représente quand même 31 % du temps qu'ils consacrent aux médias. Vient ensuite la radio (27 % du temps), mais qu'ils écoutent aussi de moins en moins. Au profit de qui ? Internet (24 % du temps dédié aux médias) qui se taille une place de numéro 3 qui monte. C'est ce qu'affirme une étude de l'European Interactive Advertising Association (Association européenne de règles publicitaires interactives), réalisée fin 2004 par la société Millward Brown sur 7 000 personnes, dans huit pays. La lecture de la presse écrite, quant à elle, n'accapare que 10 % du temps médiatique des jeunes.

Libération, samedi 25 et dimanche 26 juin 2005, Médias, page 23.

Répondez aux questions.

1. **Sur qui porte l'enquête ?** ....

2. **Représentez *l'Évolution du temps consacré aux médias* en complétant ce tableau : inscrivez le nom du média dans la colonne de gauche et une croix dans la colonne correspondant à la tendance constatée :**

Médias	↗	↔	↘
Télévision			
Radio			
Internet			

3. **Représentez par ordre croissant, le temps passé devant chacun des médias.**

Médias	%

4. **Représentez par ordre décroissant, le temps passé devant chacun des médias.**

Médias	%

À noter : Cet exercice demande une lecture attentive des indices. Il est utile, puisqu'il s'agit d'une compétition sportive, de penser, dans sa propre langue, aux termes et aux situations en relation avec la course pour être capable d'anticiper et de dépasser plus aisément les difficultés lexicales. Le texte, comme c'est souvent le cas pour les commentaires sportifs, est riche en expressions (perdre le nord, coup de rein, gros lot, quitter le giron, gros bras, carton plein, ventre à terre, coup de chapeau…).

COURSE D'ORIENTATION **Samedi**

Lasouche ne perd pas le nord à Châtel-Guyon

LIÈVRES. Sitôt le départ, les favoris se portent au commandement pour déchiffrer la carte au trésor des balises. Les lièvres sont lâchés.

POUR le dernier round du Challenge orientation des villes d'eau, les concurrents arpentaient[1], samedi, le site coquet[2] de Châtel-Guyon. Tandis que les meneurs donnaient les derniers coups de rein[3] pour enlever les gros lots, la course d'orientation, qui a quitté le giron[4] militaire, poursuivait sa conquête du grand public à la recherche d'une nouvelle lecture de l'environnement dans l'enceinte du parc thermal pas chiche en recoins agréables.

Les gros bras, qui s'élançaient du haut du calvaire avaient en point de mire la vallée du Sans-Souci où s'achevait leur quête de balises et d'émotion, avec pour les plus vaillants une deuxième tournée en nocturne pour faire bonne mesure.

Carton plein pour des meneurs à l'œil de lynx

Près de cent engagés, plus ou moins experts en matière de boussole, prirent part à cette échappée ventre à terre et carte en main. En voie vers un deuxième succès, en tête du palmarès du challenge, le Lyonnais Johann Lasouche (30 ans), en membre de l'équipe de France n'était pas, lui, du genre à perdre le nord, malgré la malice du traceur et l'opposition d'un rival en pays connu.

Des jambes pour aligner en 1h30 maxi près de dix bornes avec un joli dénivelé et une tête pour déjouer les subtilités d'un parcours malin avec tranche de milieu urbain : sur ce thème de la chasse au trésor, le cadre de Châtel, moins endormi qu'il n'y paraît, offre un terrain de choix. En connaisseur des lieux, et pour cause puisqu'il en est citoyen, Alain Wenger (34 ans), plus connu dans les bassins nautiques, ne manqua pas de sauter dans le pas du favori Johann Lasouche pour finalement le déborder sur le fil, mais non au palmarès du challenge.

« La course d'orientation constitue un exercice agréable puisqu'elle donne une raison intelligente d'aligner les foulées, commente le lauréat du jour. J'ai de plus la satisfaction d'étalonner ma progression avec un adversaire de talent ». En pointant simultanément un quart d'heure avant la fermeture et en ayant réalisé le carton plein, Wenger et Lasouche ont survolé un lot choisi d'orienteurs dont une poignée fait le plein de points. Les féminines, conduites par Marie Richard et Emmanuelle Lavetti, ne sont pas en reste au chapitre du coup de chapeau à l'aplomb de l'étoile du nord.

Jean-François MEUNIER

La Montagne, lundi 29 août 2005.

[1] arpenter : parcourir. [2] coquet : élégant. [3] donner un coup de rein : faire un effort. [4] quitter le giron : quitter un milieu particulier.

Répondez aux questions.

1. Dans quelle compétition s'inscrit cette course ? ....

2. Qui sont les favoris ? ....

3. Que sait-on de cette course ?

Date : ....
Type d'épreuve : ....
Localisation : ....
Lieu de départ : ....
Lieu d'arrivée : ....
Longueur du parcours : ....
Particularités du relief : ....
Particularités du milieu : ....
Meilleur temps : ....
Qui a gagné la course ? ....
Qui est arrivé second ? ....
Qui a gagné le challenge ? ....

4. Quel nom donne-t-on aux participants de ce type d'épreuve *(plusieurs réponses possibles)* ?

☐ Meneur. ☐ Traceur. ☐ Orienteur. ☐ Coureur.

VERS L'ÉPREUVE

Lisez le document ci-dessous puis répondez aux questions

Coup de théâtre à la Nouvelle Star

Si vous avez regardé la Nouvelle Star le 10 mars 2005, vous n'avez pas pu le rater. Séance de rattrapage pour ceux qui n'étaient pas devant leur télé…

Ça s'appelle la Nouvelle Star et, depuis trois ans, c'est l'émission de la chaîne M6 chargée de dénicher les talents de demain. Après avoir lancé Jonathan Cerrada, Steeve Estatof et Amel Bent pour ne citer que ceux-là, la belle machine de M6 a bien failli dérailler jeudi soir lors du premier prime.

Vous connaissez tous Marianne James, jury de charme de la Nouvelle Star et artiste à la voix exceptionnelle. Eh bien, sachez que cette dame n'a pas la langue dans sa poche. En effet, après quelques petits conflits au sein même du jury, c'est cette fois-ci la production de l'émission qui en a pris pour son grade. Si Manu Katché, Dave Attia et André Manoukian n'ont pas voulu se mouiller, la diva elle n'y a pas été de main morte. Alors que Benjamin Castaldi consultait le jury après la prestation d'un des trios, il a eu la mauvaise surprise de récolter la grosse contestation de Marianne James visiblement énervée.

La raison de sa colère concerne le système de vote mis en place par la production. En effet, les téléspectateurs devaient éliminer cinq candidats sur les quinze en lice. Pas de problème, si ce n'est que la règle imposait d'éliminer un candidat par trio, sachant qu'ils avaient été répartis en cinq groupes. Des groupes pas très équitables où beaucoup de très belles voix avaient été regroupées, rendant le choix quasi impossible alors que d'autres groupes n'étaient composés que d'éléments moyens. Marianne James aurait donc préféré que le vote soit soustrait à cette règle idiote afin que chacun ait sa chance au maximum et que les voix intéressantes ne soient pas éliminées à cause d'un groupe au niveau trop élevé. Suite à la protestation de Marianne James, Benjamin Castaldi a reconnu l'erreur de la production, en modérant cependant avec le fait que la règle est la même aux USA, en Angleterre… Lors de la proclamation des résultats, le jury s'est dit déçu et Manu Katché a même conseillé aux téléspectateurs d'appendre à écouter de la bonne musique avant de juger bêtement. Du jamais vu dans une émission de télé réalité !!!

http://www3.france-jeunes.net

1. **Cet article traite un sujet à caractère :**
   ☐ informatif. ☐ politique. ☐ polémique.
2. **Un incident s'est produit lors de l'enregistrement de l'émission :**
   Quand ? .... Quoi ? ....
3. **Quel est l'objectif de l'émission ?**
   ☐ Trouver de nouveaux talents.
   ☐ Trouver de nouveaux soutiens.
   ☐ Trouver de nouveaux candidats.
4. **La formule a-t-elle réussi ?**
   ☐ Oui, des exemples nous sont donnés.
   ☐ Oui, mais nous ne disposons pas de précisions.
   ☐ Non, des exemples nous sont donnés.
   ☐ Non, mais nous ne disposons pas de précisions.
5. **L'article fait référence à Marianne James.**
   ☐ Pour son charme. ☐ Pour sa voix exceptionnelle.
   ☐ Pour sa célébrité. ☐ Pour sa liberté de parole.
6. **Marianne James :**
   ☐ n'est jamais d'accord avec son entourage.
   ☐ n'est pas toujours d'accord avec son entourage.
   ☐ est toujours d'accord avec son entourage.
7. **Avec la production de l'émission, Marianne James est :**
   ☐ réservée. ☐ d'accord. ☐ en désaccord.

8. Manu Katché, Dave Attia et André Manoukian :
- ☐ font sans doute partie de l'équipe de production.
- ☐ font sans doute partie de l'équipe du jury.
- ☐ font sans doute partie du public.
- ☐ font sans doute partie des présentateurs.

9. Ils ont adopté la même attitude que Marianne James.
☐ VRAI ☐ FAUX ☐ *On ne sait pas.*

10. Benjamin Castaldi :
- ☐ ne s'attendait pas du tout à ce qui est arrivé.
- ☐ s'attendait à une légère réaction.
- ☐ s'attendait à une réaction violente.

11. Marianne James est en colère contre le principe de l'émission.
☐ VRAI ☐ FAUX ☐ *On ne sait pas.*

12. Combien de candidats participent à l'émission ? ....

13. Combien de candidats reste-t-il après la première sélection ? ....

14. Quel est le mode d'élimination ?
- ☐ Un tiers de l'ensemble des candidats.
- ☐ Un par groupe de trois.
- ☐ Trois cinquièmes.

15. La composition des groupes est :
- ☐ assez équilibrée.
- ☐ tout à fait équilibrée.
- ☐ assez déséquilibrée.
- ☐ tout à fait déséquilibrée.

16. La composition des groupes comprend :
- ☐ uniquement des moyens.
- ☐ uniquement des bons.
- ☐ des bons et des moyens.
- ☐ des bons ou des moyens.

17. Vrai, faux, on ne sait pas ? Cochez la case correspondante.

	VRAI	FAUX	*On ne sait pas.*
a) Marianne James demande à ce qu'une exception soit faite.			
b) Benjamin Castaldi dit qu'il faut effectivement faire des exceptions à la règle.			
c) Manu Katché pense qu'il ne faut pas laisser les téléspectateurs voter.			

2 Lisez cet article et répondez aux questions qui suivent.

Bruce Lundvall

« Faire un artiste, ça prend du temps »

propos recueillis par Paola Genone

Musique… Il suffit de prononcer ce mot magique, et il accourt ! Businessman passionné, Bruce Lundvall, 69 ans, est l'un des rares producteurs discographiques qui répondent eux-mêmes aux appels de musiciens inconnus et se rendent tous les soirs au concert pour découvrir des talents. Dans ses yeux brille encore la flamme du jeune homme qui aida James Taylor, Wynton Marsalis et Bruce Springsteen à devenir des stars. Après quarante-cinq ans de carrière, l'ancien président de Columbia et d'Elektra est à la tête de trois labels chapeautés par EMI Music : Blue Note (jazz), Manhattan (pop), Angel (classique), et il vient d'être nommé « personnalité de l'année » au Midem, le Salon des professionnels de la musique. Depuis le phénomène Norah Jones, sa dernière découverte – 25 millions d'albums vendus en trois ans ! – le monde entier veut enregistrer chez lui. À l'occasion du Bose Blue Note Festival – du 5 au 16 avril – il nous confie les secrets de sa réussite.

Question : Le marché discographique est en pleine crise, et vous souriez ! Les ventes mondiales ont baissé de 15 % en 2004, et vos chiffres d'affaires ne font qu'augmenter ! Les majors résilient les contrats des artistes qui ne vendent pas et… vous embauchez ! Quel est votre secret ?
Réponse : Le même depuis que j'ai commencé ce métier : faire confiance à mes oreilles, prendre des risques et savoir patienter. Lorsque je signe avec un artiste, je conclus avec lui un pacte de fidélité. Je ne cherche pas le profit immédiat ; je ne résilie pas son contrat s'il n'a pas produit de hits au bout d'un certain délai. L'erreur que commettent nombre de PDG aujourd'hui est de vouloir un résultat instantané. C'est périssable, médiocre ? Peu importe, du moment que ça rapporte. Il leur faut du cash, du cash, du cash, pas des promesses. L'artistique a perdu le pouvoir au profit du marketing, obsédé par la rentabilité immédiate. Les méthodes sont devenues brutales. L'affectif n'existe plus. Et la télévision n'a rien arrangé. Il fallait autrefois plusieurs années pour développer un artiste ; aujourd'hui, en quelques semaines de *prime times* affligeants de vulgarité, on fait naître des vedettes qui vont, l'espace d'une saison, vendre beaucoup de disques. Puis disparaître. Personnellement, je m'accorde encore le temps de rêver. Miles Davis disait : « Vous avez la montre. Moi, j'ai le temps. » C'est une phrase sur laquelle il vaut la peine de s'arrêter.

L'Express, 4 avril 2005.

1. De quoi s'agit-il ?
☐ D'un reportage.
☐ D'une interview.
☐ D'une critique.
☐ D'une biographie.

2. À qui s'adresse cet article ?
☐ Aux professionnels.
☐ Aux enfants et aux adolescents.
☐ Au grand public.

3. Qu'est-ce qui « fait courir » Bruce Lundvall ? ……………………………………………………

4. Bruce Lundvall est-il un producteur facile à contacter ?
☐ Oui. ☐ Non.

5. Peut-on dire que Bruce Lundvall est :

	OUI	NON
a) curieux ?		
b) passionné ?		
c) spécialisé dans un genre musical ?		

6. Depuis le succès de Norah Jones :
☐ il est devenu un phénomène de société.
☐ il a reçu beaucoup d'offres.
☐ il a reçu beaucoup de demandes.

7. Quand s'est-il confié au journaliste ?
☐ Lors du Midem.
☐ Lors du Bose Blue Note Festival.
☐ À une date non précisée.

8. Les trois constats faits par le journaliste sont :
☐ étonnants. ☐ inquiétants. ☐ encourageants.

9. Sur quoi Bruce Lundvall compte-t-il ?
☐ Son jugement. ☐ Sa patience. ☐ Son intuition.
☐ Sa résistance. ☐ Son courage.

10. Un artiste qui ne produit jamais de hit peut-il rester avec Bruce Lundvall ?
☐ Oui. ☐ Non.

11. On peut dire que Bruce Lundval refuse de mener une politique :
☐ à court terme. ☐ à moyen terme. ☐ à long terme.

12. Qu'est-ce qui est déterminant aujourd'hui ?
☐ Les qualités humaines.
☐ Les qualités artistiques.
☐ La loi du marché.

13. Quel facteur a joué un rôle déterminant? ....

14. On pourrait intituler le lancement d'un artiste à la télévision:

☐ le succès n'était pas au rendez-vous.
☐ un avenir plein de promesse.
☐ succès sans lendemain.

3

«OUI à la Planète»

c'est le 30 mai au Sénat

Les Jeunes s'engagent et agissent pour leur Planète

Sous le Haut Patronage de Christian Poncelet, Président du Sénat

Avec l'association Planète Avenir, créée par Marika Prinçay

Les jeunes ouvrent la semaine du développement durable, et font vivre une démarche originale et très concrète d'éducation à la planète.

Fondée sur l'acquisition d'une éthique et d'une culture ancrées dans la réalité, la Démarche Planète Avenir met en œuvre trois pôles d'actions:
- **l'appropriation d'un texte fédérateur,**
- **l'analyse des pratiques professionnelles de protection de l'environnement,**
- **la découverte des écrits fondateurs et des échanges avec leurs auteurs.**

À partir de 14 h, le lundi 30 mai au Sénat, les jeunes de 10 à 16 ans sont aux manettes.

*– 14 heures: Jeunes/auteurs - **«Rencontres pour la Planète».***
Échanges préparés avec les auteurs fondateurs du développement durable.

*– 15 heures 30: Jeunes/actions concrètes - **Cérémonie de remise des «Planète Avenir».***

*Présidée par **Robert Badinter, sénateur**, et **Maxence Perrin, 10 ans, acteur.***

Animée par Bernard de la Villardière et François Pécheux.
Les «Planète Avenir» récompensent, après étude de cas par un jury composé de jeunes, des actions concrètes en faveur de la planète.
Placés sous l'égide de Dominique Bourg et de personnalités scientifiques, les «Planète Avenir» sont réalisés avec la collaboration de la Ligue de l'enseignement.

Mention spéciale: Planète Avenir «Conscience» d'honneur remis à Jacques Perrin pour son œuvre en faveur de la planète.

*Jeunes/éco citoyenneté **«Promesses pour la Planète»**:* Conscience - Responsabilité - Engagement - Refus - Partage.
Lancement de la campagne nationale d'appropriation de ce texte pédagogique, socle indispensable d'une éthique commune et base pour l'acquisition de comportements responsables.

Contacts

Sénat
Présidence
Lydia Meziani
Chargée de Mission
Tél.: 01 42 34 27 31
l.meziani@senat.fr

Planète Avenir
Association loi 1901
Marika Prinçay
Fondatrice
Tél.: 06 13 53 24 93
marika.princay@planetavenir.fr

Relations Presse
Anne-Colombe de la Taille
Tél.: 01 45 55 57 26
ac.delataille@wanadoo.fr

Répondez aux questions.

1. Que sait-on de Planète Avenir?

	VRAI	FAUX	*On ne sait pas.*
a) C'est une association.			
b) Le Sénat en est l'un des créateurs.			
c) Le public visé est principalement un public jeune.			
d) Elle s'intéresse à l'écologie.			

2. Quand et où débute cette semaine du développement durable?

....

3. Quelles conditions faut-il respecter pour faire partie de Planète Avenir?

....

4. On sait qui sont les auteurs fondateurs du développement durable.

☐ VRAI ☐ FAUX ☐ *On ne sait pas.*

5. Des prix seront remis à l'occasion de la manifestation « Oui à la Planète ».

☐ VRAI ☐ FAUX ☐ *On ne sait pas.*

6. Quelle est la profession de:

a) Maxence Perrin? ....

b) Bernard de la Villardière? ....

c) François Pécheux? ....

7. Quel est l'objectif de Planète Avenir?

☐ Sensibiliser les personnalités à son combat.

☐ Sensibiliser les fondateurs du développement durable à son combat.

☐ Sensibiliser les jeunes à son combat.

8. Quel est le titre du texte pédagogique auquel il est fait référence?

....

9. Que doit permettre ce texte?

....

....

4

La Journée internationale des enfants disparus a été initiée par les États-Unis le 25 mai 1979 suite à un drame survenu à New York. Ce jour-là, disparaissait un enfant de 9 ans qui n'a jamais été retrouvé. La France participe à cette journée d'action pour la troisième fois. Éric Mouzin, père de la petite Estelle, a fondé une association au nom de sa fille (association-estelle.org). Très actif depuis la disparition de sa fille, il place cette journée sous le double signe de la solidarité avec les familles vivant des drames similaires mais aussi comme un moyen de rappeler aux pouvoirs publics que, malgré le temps qui passe, ces dossiers ne doivent pas être refermés.
La situation est en effet dramatique car il y a en France à ce jour 35 dossiers d'enfants disparus non élucidés.

Conscients de leur devoir envers les familles, les pouvoirs publics ont mis en place de nouveaux moyens. Par exemple, le 1er octobre 2004, l'association « SOS enfants disparus » a été créée et un numéro d'appel national (0810012014) destiné aux familles a été lancé. Depuis, d'autres mesures ont vu le jour. La dernière en date est le dispositif d'écoute, d'information et d'orientation mis en place par la secrétaire d'État aux Droits des victimes, Nicole Guedj, offrant aide et soutien aux victimes. Autre effort significatif, des moyens plus importants ont été mis à la disposition des forces de l'ordre pour retrouver un enfant disparu.

Pour les parents concernés par ce type de drame, il faut aller plus loin. Éric Mouzin propose par exemple de créer une organisation non gouvernementale qui pourrait servir de passerelle entre les familles des victimes et les enquêteurs. Ce type d'organisation existe déjà en Belgique.

Derrière les démarches individuelles, il reste néanmoins un travail de coordination à réaliser entre les différentes structures associatives car ne dit-on pas que l'union fait la force ?

Maxime Blondet,
« Journée internationale des enfants disparus – Les familles s'organisent – »,
France-Soir, mercredi 25 mai 2005.

Répondez aux questions.

1. Le sujet traite principalement :
☐ de la disparition d'un enfant.
☐ des disparitions d'enfants.
☐ des relations entre les pouvoirs publics et les familles.

2. Quel pays est à l'origine de la Journée internationale des enfants disparus ?
☐ La France. ☐ Les États-Unis. ☐ La Belgique.

3. Que s'est-il passé le 25 mai 1979, à New York ?
....

4. Depuis combien de temps cette journée d'action est-elle organisée en France ?
☐ Environ 3 ans. ☐ Environ 10 ans. ☐ Plus de 25 ans.

5. Au bout de combien de temps, les dossiers de disparition d'enfants sont-ils refermés par les pouvoirs publics ?
☐ Environ 3 ans. ☐ Environ 25 ans.
☐ Environ 10 ans. ☐ *On ne sait pas.*

6. Peut-on dire que les pouvoirs publics restent insensibles au problème ?
☐ Oui ☐ Non ☐ *On ne sait pas.*

7. Que sait-on de l'association « SOS enfants disparus » ?
a) Qui l'a créée ? ....
b) Quand a-t-elle été créée ? ....
c) Quel numéro d'appel national a été lancé ? ....

8. Donnez un exemple d'action supplémentaire pour lutter contre le problème.
....
....

9. Les parents concernés sont-ils satisfaits des mesures mises en place?
☐ Oui. ☐ Non. ☐ *On ne sait pas.*

10. En quoi la Belgique est-elle plus en avance que la France?

....

11. Quel slogan peut-on retenir? ....

5

Attention: l'analyse portera sur deux documents.

➤ **Document 1**

ANALYSE

La protection du littoral face aux convoitises du tourisme

IL Y A trente ans, la loi du 10 juillet 1975 créait le Conservatoire du littoral. En 2035, le linéaire côtier acquis par cet outil de préservation sera-t-il le seul épargné par le béton? Didier Quentin, député UMP de Charente-Maritime et président du Conservatoire, écarte cette perspective. «C'est une question de volonté. De plus en plus d'élus comprennent que leur capital naturel est leur meilleur atout, et que vouloir tout bétonner est un handicap. La bétonnisation, l'urbanisation à tous crins, c'est écarté.»

Pourtant, le sentiment d'une évolution inéluctable semble répandu dans les milieux spécialisés, tant le choc entre la pression à l'urbanisation et la volonté de préservation s'apparente à celui du pot de fer contre le pot de terre; tant le déséquilibre est fort, entre l'exiguïté de l'offre de littoral, et l'importance de la demande.

Lors d'une table ronde organisée le 30 mai par l'association Carrefour des acteurs sociaux, Christophe Le Visage, chargé de mission au secrétariat général de la mer, qui dépend du Premier ministre, a souligné qu'en France comme ailleurs on s'achemine vers une «ville linéaire», un «continuum urbain» sur le littoral, à l'exception des coupures vertes assurées par le Conservatoire. D'où l'importance de sa mission.

Tout le drame tient en une formule de M. Le Visage: «Ce qu'on va chercher sur le littoral, c'est ce qu'on détruit en y allant.» Autrefois, seules certaines activités économiques spécialisées «consommaient» du littoral: activités portuaires ou de construction navale, pêche et transformation du poisson, ostréiculture... L'apparition du tourisme, et surtout sa massification, a fait exploser la demande. Et une fraction grandissante des Français, sans compter les Européens proches, veut profiter du littoral toute l'année. Bref, y vivre.

Jean-Louis Andreani

Le Monde, 27 juin 2005.

➤ **Document 2**

Un documentaire

L'été sur les rivages avec France 5

Partout sur la planète, le littoral est convoité. D'ici vingt ans, 75% de la population mondiale vivra à moins de 60 km des côtes. En France, le «bord de mer» fait l'objet d'une pression immobilière intense car nombreux sont ceux qui veulent y travailler ou y vivre. Or le littoral est un espace limité et écologiquement essentiel. Tout l'été, France 5 diffuse «Rivages», dix documentaires consacrés chacun à un site du littoral français: la Camargue et l'érosion, la baie de Somme et l'ensablement, la Guyane et l'instabilité des côtes, l'estuaire de la Seine et le développement industriel, Houat et la vie insulaire. Épaulés par des experts du Conservatoire du littoral, de l'IRD, de l'Ifremer, les auteurs ont cherché à «transmettre la parole des scientifiques» pour alerter sur les enjeux environnementaux de la gestion du littoral.

Éliane Patriarca

«Rivages», France 5, le samedi à 13h35 jusqu'au 20 août.

Libération, 30 juin 2005.

Répondez aux questions de compréhension.

1. **De quel sujet traitent les documents 1 et 2?**

....

2. **De quelle manière en apprend-on plus sur le sujet?**

Document 1 : ....

Document 2 : ....

3. **Quel document place immédiatement le sujet dans un contexte global?**

....

4. **Si l'on compare les prévisions données dans l'un et l'autre documents à quoi faut-il s'attendre?**

....

....

5. **Parmi les experts amenés à prendre la parole sur le sujet, lequel est le plus optimiste?**

....

6. **Quels sont les principaux acteurs sociaux (institutions, organismes) concernés par le sujet?**

....

....

....

7. **Établissez la liste de tout ce qui peut atteindre le littoral en précisant la source (document 1 ou/et 2):**

Du fait de l'homme	Du fait de la nature

8. **Au bout du compte, parmi les facteurs cités, quel est celui qui joue le rôle le plus important?**

....

Justifiez votre réponse en précisant l'origine:

....

EXEMPLE D'ÉPREUVE

25 points

EXERCICE 1

10 points

Vous proposez à un(e) ami(e) de vous accompagner à Cabourg le temps d'un week-end à l'occasion des *Journées romantiques* (arrivée le vendredi – départ le dimanche soir).
Le projet lui plaît mais à certaines conditions : un hôtel assez confortable, bien placé par rapport aux lieux de projection pour être dans l'ambiance du festival mais pas haut de gamme, et limiter ses dépenses à une trentaine d'euros maximum (par nuit + petit déjeuner). Vous êtes d'accord avec lui/elle. Afin de limiter les frais, vous décidez donc de partager la même chambre.
Vous avez réuni les informations suivantes :

RENDEZ-VOUS DE JUIN À CABOURG

Les journées romantiques
(du 8 au 11 juin)

Le festival a désormais acquis ses lettres de noblesse et les amoureux du film romantique le savent bien. Une sélection de longs et courts métrages du monde entier vous attend en salle mais aussi… sur la plage.
Le temps d'un long week-end, échappez-vous et profitez des meilleurs tarifs que les hôteliers vous réservent avant la Haute Saison.

À NE MANQUER SOUS AUCUN PRÉTEXTE !

CINÉMAS - CINÉMA DU CASINO :
(1 Salle) : Jardins du Casino -
Tél. : 02 31 91 21 19 -
LE NORMANDIE : (2 Salles) :
9 av. A. Piat (angle avenue du Président) -
Tél. : 02 31 91 21 19 -
www.cinecabourg.com

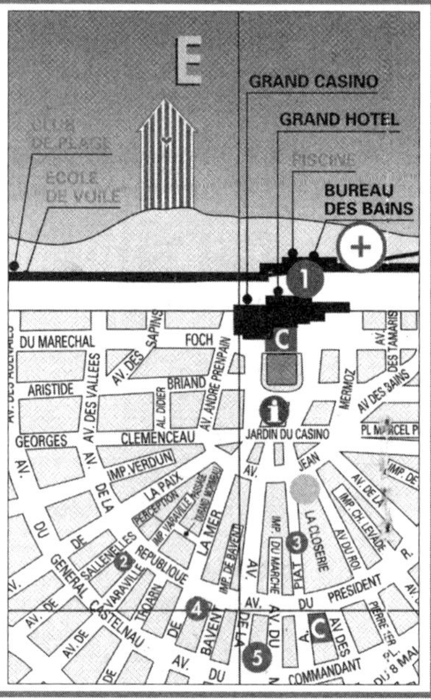

1. **Dans le tableau (ci-dessous), vous ajoutez un ou deux commentaires sur le prix et la localisation (colonne de droite).**
2. **Sous le tableau, vous compléterez la rubrique : budget hébergement par personne (minimum à prévoir).**

	Hôtels	**Ouverture**	**Nombre chambres**	**Prix chambre pour 2 pers (1)**	**Commentaires (points forts puis points faibles portant sur le prix et le degré d'éloignement)**
1	Le grand hôtel Mercure**** Confort, tradition, modernisme Fièrement implanté face à la mer	Toute l'année	68 + 2 suites	B.S. : 130-266 € M.S. : 175-296 € H.S. : 195-296 € Petit déjeuner : 17 €	
2	Le Cabourg*** Hôtel de charme dans une villa de style Napoléon III datant de 1870 Jardin romantique	Toute l'année Fermeture hebdomadaire Hors Saison : le lundi	7	B.S. : 65-70 € H.S. : 74-78 € Petit déjeuner : 8 €	

	Hôtels	Ouverture	Nombre chambres	Prix chambre pour 2 pers (1)	Commentaires (points forts puis points faibles portant sur le prix et le degré d'éloignement)
3	Castel Fleuri** « Le calme en plein centre-ville au milieu d'un grand jardin à 250 mètres de la plage ».	Fermé du 3/01 au 21/01	21	B.S. : 65-75 € H.S. : 69-80 € Petit déjeuner : inclus	
4	Hôtel de Paris** Au cœur de Cabourg	Fermé du 2/01 au 7/02	24	B.S. : 57-66 € M.S. : 62-70 € H.S. : 64-72 € Petit déjeuner : 6,80 €	
5	Le Champagne* En vacances, sur la route, envie de repos	Toute l'année Fermeture hebdomadaire hors saison : le lundi	16	31-50 € Petit déjeuner : 6 €	

(1) basse saison de septembre à juin sauf cas de moyenne saison

1. À quel hôtel et pour quelles dates adresserez-vous un message de réservation ?

....

2. Budget (hébergement + nourriture) à prévoir par personne :
Justification du prix :

....

....

EXERCICE 2 — *15 points*

Lisez le document puis répondez aux questions.

Figaro Littéraire

SÉRIE DE L'ÉTÉ – Les demoiselles de Cabourg

Promenade dans la ville où Marcel Proust passa ses étés de 1907 à 1914.

PAR MOHAMMED AÏSSAOUI — 15 juillet 2004

Au quatrième étage du Grand Hôtel de Cabourg, une fois franchie la porte du 414, l'émotion vous saisit. Un pincement de cœur. Impossible de rester indifférent au décor, à l'atmosphère, aux couleurs : vous pénétrez dans « la chambre Marcel Proust ». À gauche, une superbe salle de bains donne l'impression d'un voyage dans le temps, à la Belle Époque. On n'ose y pénétrer, ou alors sur la pointe des pieds. En face, un couloir, plutôt long, sombre, amène vers l'illustre chambre. La couleur bordeaux, sur le lit et les fauteuils, prédomine. Un petit bureau, une grande bibliothèque où figurent des partitions de son ami Reynaldo Hahn, le délicieux compositeur de « Ciboulette ». Seule source de lumière : la fenêtre, avec vue sur la mer. Laissons l'écrivain en faire la description, une description qui varie en fonction de son humeur, et imaginons-le le nez collé à la fenêtre : « *Quand, le matin, le soleil venait de derrière l'hôtel, découvrant devant moi les grèves illuminées jusqu'aux premiers contreforts de la mer, il semblait m'en montrer un autre versant et m'engager à poursuivre sur la route tournante de ses rayons, un voyage immobile et varié à travers les plus beaux sites du paysage accidenté des heures. Et dès ce premier matin, le soleil me désignait au loin d'un doigt souriant ces cimes bleues de la mer qui n'ont de nom sur aucune carte géographique, jusqu'à ce qu'étourdi de sa sublime promenade à la surface retentissante et chaotique de leurs crêtes et de leurs avalanches, il vient se mettre à l'abri dans ma chambre, se prélassant sur le lit défait et égrenant ses richesses sur le lavabo mouillé, dans la malle ouverte, où, par sa splendeur même et son luxe déplacé, il ajoutait encore à l'impression de désordre.* »

On s'y croirait presque et l'émotion serait complète, si ce n'était cette incongruité, qui vous rappelle que vous êtes bien en 2004 : un téléviseur trône en plein milieu de la chambre ! Fallait-il ?...

1. À qui s'adresse cet article ?
- ☐ À tous les lecteurs.
- ☐ Aux lecteurs aimant la littérature.
- ☐ Aux lecteurs cherchant des idées de sorties.

2. Le lecteur est-il capable de se rendre à la chambre de Marcel Proust ?

....

3. Le visiteur a été ému par :
- ☐ l'espace.
- ☐ la décoration.
- ☐ l'ambiance.
- ☐ les tons.
- ☐ les sons.
- ☐ les trésors.

4. Quand a vécu Marcel Proust ?..............................

5. Le visiteur se montre :
- ☐ anxieux.
- ☐ respectueux.
- ☐ envieux.
- ☐ peureux.

6. Les tons bleus sont dominants.
☐ VRAI ☐ FAUX ☐ *On ne sait pas.*

7. On apprend que Marcel Proust aimait la musique.
☐ VRAI ☐ FAUX ☐ *On ne sait pas.*

8. Au moment de décrire la vue, le journaliste préfère reprendre les descriptions de Marcel Proust car :

	VRAI	FAUX	*On ne sait pas.*
a) il sait qu'il n'est pas capable de faire aussi bien.			
b) il veut faire un effet de style totalement gratuit.			
c) il n'aime pas faire les descriptions de paysage.			
d) il permet ainsi au lecteur d'être plus près de Marcel Proust.			

9. Marcel Proust :

a) montre que c'est la terre qui tourne autour du soleil.
☐ VRAI ☐ FAUX ☐ *On ne sait pas.*

b) donne au soleil des intentions.
☐ VRAI ☐ FAUX ☐ *On ne sait pas.*

c) parle de la mer comme si c'était une montagne.
☐ VRAI ☐ FAUX ☐ *On ne sait pas.*

d) occupait une chambre orientée du côté du lever du soleil.
☐ VRAI ☐ FAUX ☐ *On ne sait pas.*

10. Le soleil semble pénétrer partout.
☐ VRAI ☐ FAUX ☐ *On ne sait pas.*

AUTO-ÉVALUATION

	oui	pas toujours	pas encore
Niveau commun de compétence : compréhension générale de l'écrit Je peux comprendre les points essentiels quand un langage clair et standard est utilisé (dans une langue factuelle, simple et directe) et s'il s'agit de choses familières dans le travail, à l'école, dans les loisirs, etc.	☐	☐	☐
Cela signifie : **Comprendre la correspondance** Je peux comprendre la description d'événements, de sentiments et de souhaits suffisamment bien pour correspondre avec un(e) ami(e) ou connaissance, occasionnellement ou régulièrement.	☐	☐	☐
Lire pour s'orienter Je peux parcourir un texte assez long pour y localiser une information cherchée.	☐	☐	☐
Je peux repérer et réunir des informations spécifiques dont j'ai besoin, provenant de différentes parties d'un texte long ou de textes différents, afin d'accomplir une tâche spécifique.	☐	☐	☐
Je peux trouver et comprendre l'information dont j'ai besoin dans des écrits quotidiens tels que des lettres, des prospectus et de courts documents officiels.	☐	☐	☐
Lire pour s'informer et discuter Je peux identifier et saisir les conclusions principales d'un raisonnement ou d'une argumentation dans des textes simples et directs, clairement articulés et rédigés.	☐	☐	☐
Je peux reconnaître les points importants d'une argumentation sans en comprendre nécessairement le détail.	☐	☐	☐
Je peux reconnaître les points significatifs d'un article de journal direct et non complexe sur un sujet familier.	☐	☐	☐
Je peux comprendre la description de faits.	☐	☐	☐
Je peux comprendre des textes descriptifs portant sur des événements.	☐	☐	☐
Je peux comprendre des textes factuels simples et directs (clairs) sur des sujets relatifs à mes centres d'intérêt ou à mon travail.	☐	☐	☐
Je peux comprendre un raisonnement d'ordre général clairement rédigé (mais pas forcément tous les détails).	☐	☐	☐
Lire des instructions Je peux comprendre le mode d'emploi d'un appareil s'il est direct, non complexe et rédigé clairement.	☐	☐	☐
Je peux comprendre des instructions claires et directes, clairement rédigées.	☐	☐	☐

AUTO-ÉVALUATION

	oui	pas toujours	pas encore
Reconnaître des indices et faire des déductions Je peux identifier des mots inconnus à l'aide du contexte sur des sujets relatifs à mon domaine et à mes intérêts.	☐	☐	☐
Je peux, à l'occasion, extraire du contexte le sens de mots inconnus et en déduire le sens de la phrase à condition que le sujet en question soit familier.	☐	☐	☐

PRODUCTION ÉCRITE

Nature de l'épreuve

durée	note sur
45 minutes	*/25*

► Expression d'une attitude personnelle sur un thème général : essai, courrier, article…

PRODUCTION ÉCRITE

Cette épreuve constitue la troisième partie de l'examen.

À ce niveau, on vérifiera que vous êtes capable :
- de relater des événements, de rendre compte d'expériences et de décrire vos impressions ;
- d'écrire de brefs essais simples sur des sujets d'intérêt général ;
- d'écrire une lettre pour exprimer votre pensée sur un sujet abstrait ou culturel, tel un film ou de la musique ;
- d'apporter de l'information sur des sujets abstraits et concrets, contrôler l'information, poser des questions sur un problème ou l'exposer assez précisément.

Dans le cadre de ces activités, il vous sera demandé de rédiger :
- une lettre décrivant des événements ou rendant compte d'expériences et faisant part de vos sentiments ;
- un essai, par exemple, dans le cadre d'un forum sur Internet ;
- une lettre dans le cadre du courrier des lecteurs ;
- un article de journal où vous prendrez position.

Vous devrez écrire un texte construit et cohérent d'une longueur de 160 à 180 mots. On vous demandera à la fois d'exposer des faits et d'exprimer votre opinion.

Pour vous aider

La gestion du temps

Attention ! Vous avez 45 minutes pour composer votre texte. Regardez bien la consigne avant de commencer. Évaluez le temps qu'il vous faudra pour faire votre plan, rédigez un brouillon et recopiez.

Quelques conseils

Respectez le nombre de mots requis. Prenez en compte toutes les parties de la consigne. Beaucoup de candidats perdent des points parce qu'ils ne tiennent pas compte de tous les éléments ou parce qu'ils s'écartent du sujet. Vous devez écrire un texte construit et cohérent. La planification est très importante. À ce niveau le candidat doit être capable de « prévoir et préparer la façon de communiquer les points importants qu'il/elle veut transmettre en exploitant toutes les ressources disponibles et en limitant le message aux moyens d'expression qu'il/elle trouve ou dont il/elle se souvient. » (Cadre européen commun de référence pour les langues, Didier 2001).

Faites une introduction dans laquelle vous présenterez les parties de votre plan. N'oubliez pas de conclure. Servez-vous d'expressions qui introduisent l'opinion et de connecteurs pour relier vos idées. Attention à la mise en page : chaque paragraphe doit contenir une idée principale. Votre mise en page doit permettre au lecteur de prendre rapidement connaissance de la structure de votre texte.

Évitez de répéter ce que vous avez déjà dit même si c'est formulé de manière différente.

EXEMPLE D'ACTIVITÉ

La troupe de théâtre de votre université va jouer une pièce de théâtre.
Vous écrivez un article dans le journal des étudiants pour inciter le public à venir la voir.
Rédigez cet article à l'aide des informations ci-dessous et ajoutez des commentaires.

Titre de la pièce, auteur
jouée par la troupe de l'université

Résumé de l'histoire ....

....

Commentaires sur la pièce : acteurs, décors, costumes, musique... ....

....

....

Suspense ? Humour ? ....

Invitation à venir nombreux ....

Dates, horaires, prix. ....

Pour vous entraîner

Comme le montre la grille de notation, l'évaluation porte sur la compétence communicative (13 points) et sur la compétence linguistique (12 points). Les exercices qui seront proposés seront liés à ces deux compétences.

Capacité à présenter des faits

La capacité à présenter des faits, des événements ou des expériences est par exemple étroitement liée au choix des temps du passé. Les exercices suivants permettront de travailler sur ces deux aspects.

Observez le texte suivant :

« C'était un dimanche après-midi à New York. Nous nous promenions sur le pont de Brooklyn avec des amis qui étaient venus nous rendre visite. Nous admirions la vue et échangions nos impressions sur les gratte-ciel qui nous entouraient. Soudain ma fille m'a tirée par la main. Elle insistait pour me montrer quelque chose. Nous nous sommes retournés et nous avons vu une femme simplement vêtue d'un maillot de bain qui marchait très lentement comme si elle était à la plage. »

La présentation d'un événement répond toujours aux questions *qui ? quoi ? où ? quand ?* Parfois on indique aussi comment, pourquoi, et les conséquences possibles.

Observez les temps utilisés : passé composé pour les actions perçues comme accomplies ; imparfait pour la description ou pour les actions perçues comme continues dans le passé.

Essayez maintenant d'ajouter des détails dans le texte ci-dessus en insérant les phrases suivantes :

1. Il faisait très chaud.
2. Il n'y avait qu'à New York qu'on voyait des choses pareilles.
3. Nos amis étaient médusés.
4. Nous ne nous étions pas vus depuis longtemps.
5. Des milliers de vitres reflétaient un soleil de plomb.

Essayez maintenant de trouver une cause possible. Imaginez une conséquence. Puis ajoutez-les au texte.

À vous d'écrire un petit texte

Présentez un événement de votre choix à l'aide des éléments suivants. Faites une ou plusieurs phrases selon la longueur de votre texte.
Qui ? Quoi ? Où ? Quand ? sont obligatoires.
Comment ? Pourquoi ? La conséquence ? sont facultatifs.

- Les acteurs (qui ?)
- Une action ou une suite d'actions (quoi ?)
- Le lieu (où ?)
- Le moment (quand ?)
- La manière (comment ?)
- La cause (pourquoi ?)
- La conséquence.

Ajoutez des détails pour recréer l'atmosphère. À vous d'imaginer : sur le lieu, le temps qu'il faisait, les personnes, leurs sentiments, leurs attitudes, etc.

LETTRE DÉCRIVANT DES ÉVÉNEMENTS OU RENDANT COMPTE D'EXPÉRIENCES ET FAISANT PART DE VOS SENTIMENTS

Vous avez fait un stage de français en France. Vous logiez dans une famille d'accueil. Vous racontez cette expérience à un(e) ami(e) et vous faites part de vos impressions.

Comment construire votre lettre ?

Date (pas toujours indispensable lorsqu'on écrit à des amis mais il est préférable de l'indiquer le jour de l'examen)

Cher/Chère...

Introduction :
Vous pouvez commencer par des faits ou par une appréciation :
Je suis rentré(e) il y a peu de temps de...
Je viens d'effectuer un stage de français à...
J'ai passé un mois extraordinaire à...

Développement :
Les cours : nombre d'heures par semaine, taille du groupe, appréciations sur les professeurs et sur les autres étudiants.
Parlez éventuellement des activités proposées : excursions et animations.
La famille d'accueil : les différents membres de la famille, leurs habitudes, leur accueil, la maison ou l'appartement.
Parlez éventuellement de la ville où vous avez séjourné, des endroits que vous avez visités.

Conclusion : Dites si vous souhaitez renouveler l'expérience, si vous recommandez l'école de langue, si vous allez garder le contact avec la famille, ou comment vous allez poursuivre vos études de français.

Formule de prise de congé : J'espère te voir bientôt/Je t'embrasse/Bises/Affectueusement.

2 **Vous venez de rentrer chez vous après avoir habité à l'étranger pendant quatre ans. Vous avez beaucoup aimé le pays où vous étiez et vous regrettez de l'avoir quitté. Vous expliquez pourquoi et vous faites des comparaisons avec votre propre pays.**

Exemple de lettre à compléter avec les articulateurs suivants:
Pourtant – peu à peu – Ensuite – D'abord – que – Mais – et – Même – ou (2 fois) – Au début.

28 décembre 2005

Chère Hélène,

Cela fait six mois .... je suis rentrée d'Australie .... je n'arrive pas à me réhabituer à la vie parisienne. La qualité de vie est vraiment meilleure à Sydney. .... il fait presque toujours beau. .... en hiver le ciel est généralement d'un bleu intense, la lumière éclatante et il peut faire aussi doux qu'à Paris au printemps. .... les gens sont en général moins stressés qu'à Paris. On se parle dans la rue .... dans les transports en commun. On se retrouve sur la plage .... dans les parcs pour pique-niquer ou faire des barbecues. C'est plus simple que de recevoir à la maison.

.... c'est difficile de se sentir si loin de son pays d'origine. .... je n'avais pas le moral: la famille et les amis me manquaient. Les vieilles pierres, les petits villages, les champs entourés de haies, tout cela me manquait. Mais .... on s'habitue et on apprécie les grands espaces, les plages sauvages, les forêts tropicales, les déserts... Cette nature encore vierge dans la plupart du pays et qui n'existe plus en Europe.

.... heureusement ici j'ai retrouvé mes amis et c'est une consolation. Il ne faut plus que je t'ennuie avec mes souvenirs. J'espère te voir bientôt. Peut-être aux prochaines vacances?

Bises

Sylvie

3 **Vous venez de retrouver par hasard un(e) ami(e) de classe que vous aviez perdu(e) de vue depuis dix ans. Vous écrivez à vos parents pour raconter la manière dont vous vous êtes retrouvé(e)s. Vous décrivez les changements que vous avez observés chez votre ami(e) et vous faites part des sentiments que cette rencontre a provoqués en vous.**

Exemple de lettre à compléter en mettant les verbes aux temps qui conviennent.

Chers parents,

Il m' .... (arriver) quelque chose d'extraordinaire hier. J' .... (être) sur le quai en train d'attendre le métro quand tout à coup une jeune femme s' .... (approcher) de moi. Elle .... (avoir) un air familier mais je ne .... (pouvoir) pas mettre de nom sur son visage. Elle .... (rire) de me voir hésiter ainsi et .... (finir) par me dire le nom de l'école primaire où nous .... (aller) lorsque nous .... (être) enfants. J' .... (alors savoir) que c' .... (être) Candice, qui m' .... (amuser) tant quand j'étais petite car elle .... (avoir) une très grosse voix et ne .... (pouvoir) s'empêcher de bavarder. La maîtresse .... (savoir) toujours qui .... (parler) même quand elle .... (avoir) le dos tourné. Mais comme Candice .... (être) très bonne élève, on lui .... (pardonner) facilement.

Comme nous n' .... (être) pas vraiment pressées ni l'une ni l'autre, nous .... (aller) dans un café pour prendre le temps de nous retrouver.

Continuez la lettre en imaginant la vie de Candice.
Vous pouvez parler de sa situation de famille, de sa profession, de l'endroit où elle habite...

Cette description sera au présent.

Parlez des sentiments que cette rencontre a provoqués en vous : bonheur, nostalgie, envie de poursuivre la relation, de retrouver d'autres amis communs...

Conclusion : Vous organisez une prochaine rencontre.

4 **Vous avez fait un voyage organisé mais ce qu'on vous avait promis à l'agence de voyages ne s'est pas réalisé. Vous vous attendiez à un hôtel de luxe et vous vous êtes retrouvé(e) dans un hôtel médiocre ; vous deviez visiter un certain nombre de sites et vous n'avez vu que la moitié... À vous d'imaginer les autres inconvénients.**

Vous écrivez à l'agence de voyages pour raconter tout ce qui vous est arrivé. Vous faites part de votre opinion sur ce type d'organisation et vous demandez à être remboursé(e) d'une partie du coût du voyage.

Voici comment présenter votre lettre.

Votre adresse personnelle

Agence Beauvoyage
432, avenue de la République
75011 PARIS

Sèvres, le 30 mars 2006

Madame, Monsieur,

Xxxxxxxxxxxxxxxxxxxxxxxxxxxxxxxxxxxxxxxxxxxxxxxxxxxxxxxxxxxxxxxxxxxxxxxxxxx
Xxxxxxxxxxxxxxxxxxxxxxxxxxxxxxxxxxxxxxxxxxxxxxxxxxxxxxxxxxxxxxxxxxxxxxxxxxx
Xxxxxxxxxxxxxxxxxxxxxxxxxxxxxxxxxxxxxxxxxxxxxxxxxxxxxxxxxxxxxxxxxxxxxxxxxxx

Formule de politesse

Signature

ESSAI DANS LE CADRE D'UN FORUM SUR INTERNET

À ce niveau, on vous demande de savoir relier une série d'éléments courts, simples et distincts en un discours qui s'enchaîne. Il est souhaitable de connaître quelques mots connecteurs qui permettent d'exprimer l'opinion, d'énumérer, ou d'opposer. Les exercices de composition qui sont proposés ci-dessous vous permettront ensuite de construire des développements plus longs, tels que ceux qu'on pourrait vous demander dans le cadre d'un forum.

- **Lisez le paragraphe suivant et repérez les termes de liaison :**

Vivre à Paris présente certes des avantages. D'abord, les possibilités de travail y sont nombreuses. Ensuite, la ville offre d'infinies ressources sur le plan culturel. Par contre, il est difficile de s'y loger et en général, le coût de la vie est très élevé. En définitive, je te conseillerais de bien réfléchir avant de t'y installer.

- **En suivant la structure du paragraphe ci-dessus, écrivez quelques lignes sur les thèmes suivants :**

– le téléphone portable ;
– vivre à l'étranger ;
– avoir un poste de télévision ;
– être connecté(e) à Internet ;
– vivre à la campagne ;
– travailler à la maison (télétravail par exemple) ;
– apprendre deux langues dès l'école maternelle.

boîte à outils

Les termes de l'énumération :

D'abord… ensuite… enfin…
En premier lieu… en deuxième lieu… en troisième lieu…
De plus/en outre.
Pour conclure/En somme/En définitive.

Concéder

Concéder, c'est effectuer un mouvement d'argumentation en deux temps. Dans un premier temps, on reprend l'argument de son interlocuteur en allant dans le même sens que lui. Dans un deuxième temps, on oppose des arguments qui vont dans le sens contraire et on arrive à une conclusion différente de celle de son interlocuteur.

Il est exact/certain/vrai que…, mais…
Il est en effet possible que (+ subjonctif)… *Cependant…*
Il faut reconnaître/admettre que… Pourtant…

Faut-il interdire la publicité destinée aux enfants à la télévision ?

EXEMPLE : Il est vrai que la publicité peut avoir une influence sur les jeunes. Mais il est préférable d'apprendre aux enfants à regarder la publicité avec un œil critique car, dans la vie, les tentations sont nombreuses et on ne peut pas toutes les supprimer.

Sur ce modèle, construisez une argumentation à propos des questions suivantes :

– Il est préférable de scolariser les enfants dès l'âge de deux ans et demi.
– Il est indispensable d'avoir un téléphone portable.
– Il est préférable d'envoyer ses enfants à l'internat plutôt que de les faire changer de pays et d'école tous les deux ans.

Ou toute autre question de votre choix.

boîte à outils

Liste d'expressions que vous pouvez utiliser pour concéder et opposer votre point de vue

Oui,... Bien entendu,...		Sans doute,... Peut-être,...
Il est exact... vrai... évident... certain...	mais pourtant cependant	il faut savoir que... il faut rappeler que... je tiens à dire que... je tiens à indiquer que... je tiens à souligner que...
Il est possible que... Il se peut que... On peut admettre que...		

1 **Vous participez à un forum sur Internet. Vous avez lu les messages ci-dessous. Vous écrivez 160 à 180 mots pour donner votre opinion sur le sujet : « Internet est-il une chance pour le livre ? »**

Catherine : « Le livre numérisé, quelle horreur, ne pas sentir le craquement des pages, ne pas sentir l'odeur de l'encre nouvelle, ou celle des vieux livres. Ne pas avoir le bonheur d'ouvrir pour la première fois une édition originale... Bon évidemment pour engloutir de la littérature de gare sans le moindre poids OK, ça permettra d'économiser des arbres. Le livre numérique est au vrai livre ce qu'est le sandwich emballé sous plastique à la gastronomie.
Par contre, une idée pour les éditeurs scolaires et qui soulagerait les scolioses de nos chères têtes blondes, c'est l'application de ce mode de diffusion aux manuels scolaires. Tous les livres au programme d'une année scolaire, réunis dans un truc électronique d'un kilo à peine, avec possibilité de mise à niveau, de correction, etc. Mais est-ce que cela serait profitable aux éditeurs classiques ? »

Marina : « Bien sûr qu'Internet est une chance pour le livre ! Savez-vous que les cyber-éditeurs vendent plus de "versions papier" que de versions pdf ou autres avatars numériques ? Même si les premières sont plus chères...
Lire sur écran, ce n'est pas lire... C'est juste "se faire une idée d'un auteur". L'e-book sera certainement parfait pour la recherche documentaire, pour l'information technique et pratique... mais pas vraiment le rêve pour lire un roman dans le métro ou dans son bain.

Et pour moi, qui habite à 15 km de la première librairie digne de ce nom, la commande en ligne est vraiment pratique... C'est sur Internet que je découvre mes envies de lecture... et on ne m'y répondra jamais "non, il faut le commander, revenez dans huit jours, il sera là !"
Fini les trajets à répétition : c'est le bouquin qui vient à moi.

Mais Internet est aussi une vraie chance pour les auteurs... Avec un groupe d'écrivains (expérimentés et publiés dans de grandes maisons), nous avons créé un site de formation à l'écriture romanesque. »

boîte à outils

Exprimer son opinion

À mon avis... Selon moi... Je pense que... Je crois que... Il me semble que... En ce qui me concerne...

Autres exemples de sujets dans le cadre d'un forum sur Internet :

Que pensez-vous du port de l'uniforme à l'école ?
Les effets positifs ou négatifs du tourisme dans votre pays.
Le rôle des femmes a-t-il changé dans votre pays dans les vingt dernières années ?
Peut-on tout montrer à la télévision ?
Les enfants devraient commencer l'apprentissage de leur première langue étrangère à l'école primaire.
La télévision est une catastrophe du point de vue social.
Les enfants d'aujourd'hui sont-ils assez responsables ?

LETTRE DANS LE CADRE DU COURRIER DES LECTEURS

boîte à outils

Pour exprimer son point de vue et faire des suggestions

1. Introduction : motif de la lettre
= Référence à la source de votre information (émission, article de presse, lettre, propos tenus…)

En référence à	
En ce qui concerne	l'émission de
Au sujet de	
À la suite de	l'article publié dans… intitulé…
Suite à	concernant…
Après avoir entendu/lu	

J'ai entendu une émission/lu un article/vu un dessin humoristique concernant…
L'émission, l'article, le dessin du… m'a intéressé(e)/choqué(e)

2. Expression de l'accord/du désaccord
Je suis d'accord/je ne suis pas d'accord avec…
Je suis pour/contre…
J'approuve complètement, absolument, tout à fait, également…
Je n'approuve pas du tout… Je désapprouve formellement, catégoriquement, vraiment…
Je partage, comprends/Je ne partage pas, ne comprends pas votre point de vue, votre avis…
Je suis, je ne suis pas de votre avis quand…
Je suis favorable/je ne suis pas favorable à, je suis opposé(e) à…

Je pense		utile	inutile
Je crois		nécessaire	
Je trouve	que c'est	indispensable	
J'estime		excellent	mauvais
Je considère		justifié	injustifié
		formidable	honteux
		extraordinaire	banal
		normal	anormal

boîte à outils

Je considère	judicieux	stupide
	intelligent	idiot
	etc.	scandaleux
		condamnable
		etc.

Je me réjouis, me félicite de.../je m'étonne, suis choqué(e), scandalisé(e) de voir/de lire/d'entendre dire que... (+ indicatif)

Vous avez bien fait, eu raison de... / avez eu tort de... (+ infinitif)

Cette émission	a l'avantage/l'inconvénient de...
Cet article	a le mérite/l'ennui de...
Cette attitude	a l'intérêt de...
Ce genre de propos	va/peut améliorer/aggraver, détériorer...
	renforcer/affaiblir...
	protéger/faire du tort à...
	sauvegarder/nuire à...
	permet de... / risque de...
	etc.

3. Expression de la suggestion

Il faudrait...
Vous devriez, on devrait...
Vous feriez bien de, mieux de...
Vous pourriez...
À votre place je... (+ conditionnel)

4. Expression de la demande

J'aimerais
Je voudrais
Je souhaiterais
} que vous communiquiez, transmettiez, adressiez...

Pourriez-vous
Voudriez-vous
Vous serait-il possible de
Je vous prie de bien vouloir
Veuillez
} communiquer, transmettre, adresser...

5. Formules de remerciement et prise de congé

D'avance, je vous en remercie et vous prie d'agréer mes sincères salutations (mes salutations distinguées).
Vous en remerciant d'avance, je vous prie d'agréer...
Je vous prie d'agréer l'expression de mes meilleurs sentiments.
Croyez, Madame/Monsieur, en l'expression de mes meilleurs sentiments.

Après avoir lu l'article de *20 minutes* « Les ados ne savent pas qu'on les manipule parfois », donnez votre opinion sur le sujet. Les jeunes sont-ils victimes de la publicité ? Justifiez votre opinion.

« Les ados ne savent pas qu'on les manipule parfois »

Les gens de marketing ne se cachent pas de vouloir habituer les enfants et les ados à dépenser pour devenir de « bons consommateurs »... Si les 12-14 ans sont particulièrement visés, c'est parce qu'ils apprécient tout ce qui est nouveau et qu'ils sont considérés comme de futurs « leaders de tendance ». Toute une série de méthodes sont donc utilisées pour s'adresser à eux en priorité.

Une première façon d'attirer les jeunes est de se servir des « people » à qui l'on offre le produit concerné... Une autre méthode est le « street marketing ». L'objectif est d'aller repérer à la sortie des écoles les jeunes qui sont les leaders de petits groupes et de leur proposer de participer à des soirées de lancement de produits. Ce sont eux qui amènent les autres à suivre. [...]

Les ados ne se rendent pas compte qu'on les manipule parfois. Le génie des enseignes est de réussir à faire croire aux jeunes qu'une marque est indispensable à la construction de leur identité. Aujourd'hui, il faut porter tel ou tel jean selon la tribu à laquelle on se réfère. Et, du coup, les marques parlent de « passeport social ». Ce qui est intéressant, c'est que ce sont les jeunes les plus défavorisés qui sont aussi les plus vulnérables.

20 minutes, Viviane MAHLER, 20 décembre 2004.

Faut-il interdire la télévision aux enfants ?
Après avoir lu ces extraits de l'article publié dans *Le Monde* du 15 juin 2002, pouvez-vous donner votre opinion ?

« Nous sommes confrontés à un laxisme ambiant »
PROPOS RECUEILLIS PAR SYLVIE KERVIEL

Extrait 1 :
Entretien avec Claude Allard, pédopsychiatre et psychanalyste, auteur de « L'Enfant au siècle des images » (éd. Albin-Michel). Début juin, un lycéen de 17 ans a tué une adolescente en s'inspirant du film d'horreur américain *Scream*, diffusé quelques semaines auparavant sur TF1. La télévision est à nouveau montrée du doigt. Est-ce légitime ?

La télévision ne doit pas être la seule accusée car elle n'est pas le seul relais, il y a aussi les jeux vidéos et internet. On observe actuellement une sorte de glissement progressif : les enfants regardent tout et n'importe quoi, à la télé ou sur Internet, et éventuellement transgressent les interdits.

Il y a de moins en moins de programmes spécifiquement destinés aux enfants, ceux-ci regardent donc fréquemment des émissions destinées aux adultes. Ce n'est pas sans conséquence sur les plus fragiles d'entre eux. Il y a un effet d'accoutumance : on s'habitue à voir des choses de plus en plus violentes. De même, la sexualité est de plus en plus montrée sans précaution, comme si le jeune public pouvait tout voir. Et dès que quelqu'un proteste, des voix s'élèvent pour crier à la censure.

Extrait 2 :
Récemment, une enquête de l'Université de Columbia et de l'Institut psychiatrique de l'État de New York stipulait qu'il y avait un lien entre le temps passé devant la télévision et la probabilité de commettre des actes violents. Selon les résultats de cette enquête, 5,7 % des adolescents regardant la télé moins d'une heure par jour commettraient des actes de violence à la fin de l'adolescence ou au début de l'âge adulte, contre 22,5 % de ceux qui la regardent entre une et trois heures, et 28,8 % de ceux qui la regardent plus de trois heures. Les chercheurs suggèrent « *que les parents responsables doivent éviter d'autoriser leurs enfants, durant la jeune adolescence, à regarder la télé plus d'une heure par jour. Le risque augmente au-delà de ce seuil.* »

Le Monde, 15 juin 2002.

3 **L'obtention de la carte de séjour doit-elle être liée à l'apprentissage de la langue du pays où on souhaite immigrer ? Lisez cet extrait du *Figaro* (22 juillet 2005). Vous écrivez au journal et vous faites part de votre opinion.**

L'octroi d'un titre de long séjour en France à un étranger pourrait, à l'avenir, être lié à l'engagement de celui-ci à maîtriser la langue française. En proposant hier de créer « *un lien* » entre l'apprentissage du français dans le cadre du contrat d'accueil et d'intégration (CAI) et l'obtention de la carte de résident de dix ans, Catherine Vautrin entend « *aller plus loin dans l'intégration des primo-arrivants* ».
« *Cette obligation n'existe pas actuellement. Elle est à mon sens nécessaire. [...]* » précise la ministre déléguée à la cohésion et à la parité.
En déplacement hier à l'Office des migrations internationales de Lyon, Catherine Vautrin s'est adressée directement aux migrantes ainsi qu'à leurs époux. « *Pour pouvoir vivre votre vie en France, il faut être indépendante et la première condition est de parler notre langue* », leur a-t-elle recommandé.
Si une formation de français de 500 heures est déjà intégrée au contrat d'accueil et d'intégration (CAI), le taux d'assiduité reste en revanche insuffisant. « *Il est de 65 à 70 % et c'est un problème,* précise Catherine Vautrin, qui est également en charge de la parité. *Il faut que les femmes y participent, car cette question les concerne tout particulièrement, et leur mari doit les encourager.* »

Le Figaro, Justine DUCHARNE, 22 juillet 2005.

ÉCRIRE UN ARTICLE DE JOURNAL

Les paragraphes de cet article ont été inversés. Retrouvez l'ordre logique du texte. Le dernier paragraphe est à sa place.

Louer gratuitement un logement à un étudiant en échange de services

Anne-Marie, magistrate à la retraite, octogénaire élégante et dynamique, accueille dans son appartement cossu, situé près du parc Monceau à Paris, Loretxu (23 ans), étudiante en mastère de neurosciences. « Je déteste une maison vide. Je trouve les soirées et fins de semaine trop longues, surtout quand le froid empêche de sortir. Loretxu anime l'appartement de sa jeunesse », explique-t-elle.

Les appariements sont parfois délicats à réaliser. « Il faut rendre visite aux seniors, s'assurer qu'ils sont valides, inspecter le logement, recevoir les étudiants, les questionner sur leur mode de vie, leur famille, l'image qu'ils se font du troisième âge », expliquent Aude Messean et Bénédicte Chatain, fondatrices de l'association Le Pari solidaire, l'un des organismes qui tentent de promouvoir ce nouveau mode de cohabitation.

Des seniors disposent parfois de locaux spacieux et souffrent de solitude, tandis que de nombreux étudiants sont en quête de chambres de plus en plus chères et rares. Pourquoi ne pas rapprocher les deux populations ? Cette initiative, qui existe depuis dix ans à Madrid et à Barcelone, a fait à la rentrée universitaire 2004-2005 une timide apparition en France.

Le principe est simple : le senior doit fournir une chambre confortable et permettre l'accès à sa salle de bains et à sa cuisine. En contrepartie, l'étudiant accepte de rendre quelques services, qui vont de la simple présence la nuit à des obligations plus contraignantes : faire quelques courses, promener le chien, partager le dîner. Des associations se chargent de sélectionner les candidats seniors et étudiants, puis de formaliser l'accord.

Le soir, chacune prépare son plateau pour le repas, qu'elles prennent ensemble dans le petit salon en bavardant. « Fille de viticulteur, Loretxu m'a fait découvrir le vin et les fromages du Pays Basque. Nous échangeons aussi nos journaux ; je vais même jusqu'à lire la revue de son association de commerce équitable ! », poursuit Anne-Marie. De son côté, elle a expliqué à la jeune fille la nouvelle loi sur le divorce. Cette présence amicale ramène Anne-Marie au temps où ses enfants étaient étudiants.

Le contrat délimite les engagements réciproques : repas pris en commun préparés par l'étudiant(e) mais payés par le senior, droit de recevoir des visiteurs. Il sert aussi de garde-fou pour éviter que l'étudiant ne soit corvéable à merci. Tout ce qui n'est pas écrit est négocié de gré à gré.

Michaëla BOBASCH, *Le Monde*, 26 février 2005.

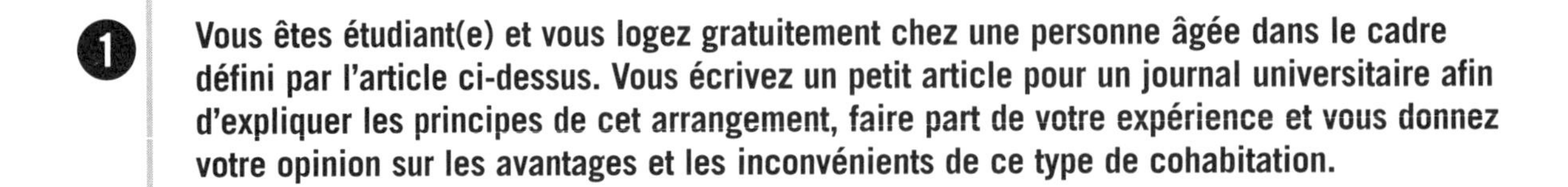

1 **Vous êtes étudiant(e) et vous logez gratuitement chez une personne âgée dans le cadre défini par l'article ci-dessus. Vous écrivez un petit article pour un journal universitaire afin d'expliquer les principes de cet arrangement, faire part de votre expérience et vous donnez votre opinion sur les avantages et les inconvénients de ce type de cohabitation.**

2 **Vous écrivez un article pour donner votre opinion sur un film que vous avez vu récemment.**

Premier paragraphe

Donnez des détails sur la réalisation du film :
titre, réalisateur, noms des principaux acteurs. Situez-le dans le temps.
Indiquez le genre du film* et le thème en une phrase.

Deuxième paragraphe
Résumez l'histoire en trois ou quatre phrases. Qui ? Quoi ? Où ? Quand ? Décrivez les personnages principaux et donnez des détails sur leur personnalité.

Troisième paragraphe
Donnez votre opinion sur le film. Expliquez pourquoi vous l'avez aimé (jeu des acteurs ? musique ? autre ?).

Conclusion
Recommandez ou non d'aller voir ce film.

* Genre des films : Aventure – Comédie – Documentaire – Drame – Épouvante, horreur – Comédie Musicale – Guerre – Histoire – Policier – Court métrage – Comédie dramatique – Dessin animé.

boîte à outils

Quelques articulateurs de cause, but, conséquence ou comparaison

J'ai aimé ce film parce que...
Le réalisateur a fait ce film pour...
Les acteurs sont tellement bons que...
Comme dans le film de (nom de l'auteur)..., ou comme dans son film précédent...

Vous êtes parti(e) un an à l'étranger en tant qu'assistant(e) de langue. Vous écrivez un petit article sur votre expérience pour un journal d'étudiants (Où loger ? Où étudier ? Budget à prévoir ? Difficultés rencontrées). Vous faites part de votre opinion sur cette expérience.

boîte à outils

Recommandations

Il est préférable de...
Il est souhaitable de...
Je vous recommande de...
Si vous désirez..., il vaut mieux...

4

Une fête a été organisée dans votre quartier pour permettre aux habitants de mieux se connaître et pour leur proposer des échanges de service. Vous faites part de l'événement dans un journal de quartier et vous donnez quelques exemples de services proposés. Vous donnez votre opinion sur l'événement.

Aidez-vous des notes suivantes.

30 juin fête de quartier : musique, danse, mise en commun de plats cuisinés, gigantesque buffet.
Services proposés : soutien scolaire, aide aux personnes âgées, partage de voitures, hébergement en échange de menus services, cours divers...
Succès de la soirée (participants nombreux, convivialité, témoignages de diverses personnes).
Mise en place d'annonces « échanges de services » dans le journal du quartier.

EXEMPLE D'ÉPREUVE

25 points

Essai

À votre avis, quels ont été les changements les plus importants des vingt dernières années dans votre pays? Quels sont ceux qui ont été positifs ou ceux qui ont été négatifs selon vous?

Vous écrirez un texte construit et cohérent sur ce sujet (160 à 180 mots).

AUTO-ÉVALUATION

	oui	pas toujours	pas encore
Je peux prévoir et préparer la façon de communiquer les points importants que je veux transmettre en exploitant toutes les ressources disponibles et en limitant le message aux moyens d'expression dont je me souviens.	☐	☐	☐
Je peux rédiger des lettres personnelles dans lesquelles je rends compte de ce que j'ai vécu et de mes sentiments.	☐	☐	☐
Je peux exposer par écrit, en les expliquant, mon opinion sur des thèmes généraux ainsi que mes goûts particuliers.	☐	☐	☐
Je peux rédiger des articles ou des courriers dans lesquels j'exprime un avis personnel sur des films, la musique ou tout autre thème familier.	☐	☐	☐
Je peux rédiger quelques lignes pour exposer un problème, transmettre des informations et faire comprendre les points que je considère importants.	☐	☐	☐
Je peux donner mon opinion sur un article et faire des suggestions.	☐	☐	☐
Je peux apporter de l'information sur des sujets abstraits et concrets, contrôler l'information, poser des questions sur un problème ou l'exposer assez précisément.	☐	☐	☐
Je peux relier mes idées en un discours qui s'enchaîne.	☐	☐	☐

PRODUCTION ORALE

Nature de l'épreuve

durée	note sur
15 minutes environ *Préparation : 10 min pour la troisième partie de l'épreuve*	*/25*

- Épreuve en trois parties :
  - l'entretien dirigé ;
  - l'exercice en interaction ;
  - l'expression d'un point de vue à partir d'un document déclencheur.

PRODUCTION ORALE

Pour l'épreuve d'expression orale, vous devez :

- vous présenter (ou présenter quelqu'un), parler de vous (de la personne), de votre (son) passé, de vos (ses) activités actuelles, de vos (ses) projets... L'examinateur peut éventuellement vous poser quelques questions complémentaires.
- résoudre une situation problématique de la vie quotidienne (au choix entre deux sujets tirés au sort) :
  – soit en simulant avec l'examinateur une situation (verbalisation d'un agent de police, contestation dans une agence, conflit...) ;
  – soit en accomplissant une tâche en commun avec l'examinateur (en négociant, en discutant...).
  Attention ! Il n'y a pas de temps de préparation pour cette épreuve.
- dégager le thème soulevé par un document choisi parmi deux documents tirés au sort et présenter votre opinion sur ce sujet. Vous avez 10 minutes de préparation pour lire le texte et préparer votre intervention. L'examinateur peut vous poser des questions.

Déroulement de l'épreuve

1. Vous tirez au sort le sujet de la troisième étape.
2. Vous allez préparer pendant 10 minutes cette troisième étape : prenez connaissance du texte, identifiez le thème et prenez position par rapport à ce texte. Vous pouvez prendre des notes.
3. Vous faites l'entretien informel, puis vous tirez au sort deux sujets pour l'exercice en interaction et vous en choisissez un ; vous jouez la scène avec l'examinateur. Enfin, vous présentez le texte retenu et vous donnez votre opinion. Attention ! Vous pouvez utiliser vos notes, mais pas lire systématiquement un texte.

Pour vous aider

N'oubliez pas :

- de saluer l'examinateur en arrivant ;
- de vous présenter ;
- de lire les consignes. Elles expliquent :
  – ce que vous devez faire (poser des questions, répondre à des questions, jouer le rôle de...). Ces consignes vous expliquent aussi quoi faire avec le matériel qui vous est proposé,
  – la situation (un jeu de rôles dans un hôtel, un restaurant, une banque...),
  – le temps qui vous est accordé,
  – si vous avez droit ou non à une préparation initiale,
  – le rôle de l'examinateur,
- de parler clairement, assez fort et en regardant votre interlocuteur,
- de demander à l'examinateur de répéter si vous n'avez pas compris,
- de prendre congé de votre examinateur à la fin de l'examen.

Nous vous donnons de nombreuses suggestions dans cette partie. Utilisez-les.

Étape 1. L'entretien dirigé *2 à 3 minutes*

Présentation générale
L'examinateur amorcera le dialogue par une question du type :
Bonjour monsieur... madame... Pouvez-vous vous présenter ? Parler de vous ? De votre famille ? De vos activités... ?

Vous vous présentez et vous répondez à sa question.
L'examinateur relancera l'entretien sur des thèmes tels que :
- Quels sont vos projets professionnels ?
- Où avez-vous passé vos dernières vacances ?
- Qu'est-ce que vous êtes en train d'étudier ?
- Parlez-moi de vos passe-temps préférés.

Vous lui répondez.

Étape 2. L'exercice en interaction *3 à 4 minutes*

Cet exercice peut prendre plusieurs formes (au choix des concepteurs des sujets, dialogue simulé ou coopération). Vous devez donc vous préparer à plusieurs activités possibles.

Le dialogue simulé
Dans le dialogue simulé, il y a une situation et une action. Au niveau B1, il s'agit de situations problématiques de la vie courante.

Dans le dialogue simulé, il y a deux personnages qui jouent chacun un rôle. Exemples :

VOUS	L'EXAMINATEUR
(Le client ou l'employé)	(Le fonctionnaire, le vendeur ou le patron)

Dans le dialogue simulé au niveau B1, il y a une situation donnée et un problème. Exemples :

SITUATIONS	PROBLÈMES
Dans la rue	vous avez commis une infraction.
Dans un train	vous n'avez pas acheté de billet.
Dans une agence de voyages	il n'y a plus de place pour le voyage de vos rêves.
Dans un bureau	vous arrivez en retard.
À la maison	vous n'aidez jamais pour faire le ménage.

La coopération

Dans un exercice de coopération, vous avez à accomplir AVEC l'examinateur une tâche commune. Vous devrez échanger des informations, discuter de ce que vous pouvez faire, communiquer des informations, répondre à des suggestions, demander des directives ou en donner, donc coopérer. Dans cet exercice, vous n'assumez pas forcément un rôle simulé mais l'examinateur ne sera sans doute pas d'accord avec vos propositions!

⚠ ***Pas de temps de préparation! Vous devez vous impliquer immédiatement dans l'activité.***

Si vous ne comprenez pas la situation ou la consigne, n'hésitez pas à demander à l'examinateur de vous réexpliquer.

Étape 3. Le monologue suivi, défense d'un point de vue *3 à 4 minutes*

Vous disposez de dix minutes pour préparer un exposé de trois minutes environ sur l'un des deux textes suivants que vous avez tiré au sort.

Comment organiser votre préparation (10 minutes)?

1. Lisez tout d'abord la consigne.

Vous dégagerez le thème soulevé par le document ci-dessous et vous présenterez votre opinion sous la forme d'un petit exposé de trois minutes environ. L'examinateur pourra ensuite vous poser quelques questions.

2. Prenez connaissance des deux textes et choisissez celui que vous préférez.

Ils ont choisi de vivre à la campagne

Pierre et Marie vivaient en ville, à Paris, depuis plus de vingt ans. Mais un beau jour, ils en ont eu assez de la pollution, des transports en commun, du bruit et de la vie chère. Ils ont décidé de s'installer à la campagne.
Ils ont acheté une petite ferme en Dordogne et désormais, Pierre élève des chèvres et vend son fromage et Marie s'occupe de la ferme et fait des ménages. Même si leurs revenus ont baissé, Pierre et Marie s'estiment heureux de leur choix et ils ne regrettent rien du stress de la capitale.

Forum Internet, *Pour mieux vivre.*

La ponctualité, culture ou politesse?

En Angleterre, il est bon d'arriver quelques minutes en avance à un rendez-vous. Au Venezuela, par contre, il est de mauvais goût d'arriver à l'heure dite dans un dîner en ville : vous risquez de trouver la maîtresse de maison en train de s'affairer à ses préparatifs et elle ne saura pas quoi faire avec vous. En France, un retard de quinze minutes pour un rendez-vous professionnel est acceptable, mais au Japon c'est une insulte. Ces différences culturelles expliquent parfois des malentendus et pour les éviter, les entreprises préparent désormais leurs candidats à l'expatriation à décoder les habitudes culturelles.

Que pourrait-on leur dire dans votre pays?

3. Préparez votre présentation.

a) Introduisez l'idée principale de votre présentation en vous basant sur le texte choisi.

Il ne s'agit pas de lire le texte mais de reprendre quelques idées.

b) Donnez votre opinion et justifiez-la en illustrant votre propos d'exemples. Pendant l'exposé, contrôlez votre temps de parole (trois minutes environ) et parlez clairement en regardant l'examinateur.

Pour vous entraîner

SE PRÉPARER À L'ENTRETIEN INFORMEL (étape 1)

PARLER DE SES PROJETS

Reliez les différents éléments pour construire des phrases correctes.

J'aimerais	être	trapéziste	Italie
	devenir	cosmonaute	à mon compte
Je veux	faire	me marier	à Bordeaux
	aller	partir	à l'université
Je voudrais	pouvoir	en	théâtre
	à	dans le	
Je vais	essayer de	Paris	
	travailler	m'installer	
	étudier	l'anglais	

PARLER DE SON PASSÉ

Je suis né(e) en/au/aux (pays) ....

Je suis né(e) à (ville) ....

1 **Ce que j'avais l'habitude de faire quand j'étais jeune. Je...** ....
....

2 **Conjuguez les verbes à l'imparfait. Je/Nous :**
....
....

3 **Quand j'étais jeune, dans mon pays les gens** ....
....
....
....

4 **Conjuguez les verbes.**
Quand j'(être) .... enfant, nous (vivre) .... à la campagne.
Mes parents (faire) .... leur commerce avec les produits de la ferme
et mes frères et moi nous (jouer) .... dans la nature.
En 1997, je (partir) .... à l'université à Paris et je (s'installer)
.... dans un petit appartement. J' (étudier) ....
pendant cinq ans. J' (avoir) .... mon diplôme en 2002 et je (rentrer)
.... chez moi.

⚠ ***Au passage imparfait/passé composé. Révisez les règles d'utilisation de ces deux temps verbaux.***

5 **À propos, quels sont les verbes qui se conjuguent au passé composé avec l'auxiliaire être ?**

1. .... **2.** .... **3.** .... **4.** ....
5. .... **6.** .... **7.** .... **8.** ....
9. .... **10.** .... **11.** .... **12.** ....
13. .... **14.** .... **15.** ....

6 **Donnez leur participe passé. Elle est... / Elles sont...**

....

....

PARLER DE SES PASSE-TEMPS

1 **Connaissez-vous le nom de toutes ces activités?**

2 **Relier les verbes suivants aux activités correspondantes (plusieurs possibilités) et indiquez les verbes familiers.**

- Monter à cheval
- Faire de l'équitation
- Peindre
- Dormir
- Se reposer
- Faire la sieste
- Bricoler
- Lire
- Se promener
- Faire du golf
- Aller sur le green
- Roupiller
- Se balader
- Bouquiner
- Aller faire trempette
- Se baigner
- Nager

3 **Devinez les questions posées par l'examinateur à partir des réponses du candidat.**

– .... ?
– Je suis né(e) en Italie. À Rome.
– .... ?
– Oui, absolument, j'y habite encore. J'habite près du Forum, dans le centre de la ville.
– .... ?
– C'était une ville moins polluée qu'aujourd'hui. Il y avait moins de monde aussi.
– .... ?
– Bien sûr. J'y ai des souvenirs formidables. Les glaces que nous mangions quand nous sortions de l'école, les parties de football dans la rue. Aujourd'hui, tout cela serait impossible.
– .... ?
– Je travaille dans un cabinet d'architecte. Je suis en train de construire un nouvel hôpital pour la ville.
– .... ?

– Je voudrais me spécialiser en France. J'aimerais aller à Paris.
– .... ?
– Évidemment, on ne peut pas être un architecte italien et ne pas connaître cette ville !
– .... ?
– Je ne sais pas encore. Si tout va bien j'y resterai peut-être un ou deux ans.

SE PRÉPARER À L'EXERCICE EN INTERACTION (étape 2)

Pour bien réussir cet exercice, lisez bien la consigne !

■ Exercice en interaction (3 à 4 minutes) ◄--- **indication de temps**

Vous tirez au sort l'un des deux documents que vous présente l'examinateur. Vous jouez le rôle qui vous est indiqué.

Votre rôle. **La cause de l'interaction.**

Sujet
Dans la rue, vous êtes en voiture et un policier vous arrête. Il vous accuse d'être passé(e) au feu rouge. Vous contestez cette faute et vous vous justifiez. Vous essayez de ne pas être verbalisé(e). L'examinateur joue le rôle du policier.

Le rôle de l'examinateur. **Ce que vous devez faire.**

À vous !

SE JUSTIFIER

Dans la rue, vous êtes en voiture et un policier vous arrête. Il vous accuse d'être passé(e) au feu rouge. Vous contestez cette faute et vous vous justifiez. Vous essayez de ne pas être verbalisé(e). L'examinateur joue le rôle du policier.

1 **Remettez dans l'ordre le dialogue suivant :**

– Bonjour monsieur l'agent. J'ai fait quelque chose de mal ?
– C'est injuste.
– Écoutez, j'arrivais de la rue Victor-Hugo, je roulais lentement et je vous dis que je suis passé au vert. Je l'ai vu.
– Bonjour monsieur, police nationale. Vos papiers, s'il vous plaît.
– Monsieur l'agent, vous faites erreur. Je suis sûr que je suis passé au vert.
– N'insistez pas monsieur. Je vais vous verbaliser.
– Vous avez brûlé le feu rouge, monsieur !

– Moi ? Mais pas du tout. Le feu était vert !
– Et moi j'ai vu le contraire ! Allez, descendez et soufflez dans le ballon !
– Non monsieur, il était rouge. Je vous ai vu.
– Attention à ce que vous dites. Vous pourriez avoir d'autres problèmes...

2 **Au travail, vous arrivez en retard pour la quatrième fois consécutive ce mois-ci. Votre patron vous attend... Vous vous excusez et vous vous justifiez. L'examinateur joue le rôle du patron.**

Quelle est la meilleure façon de commencer la conversation avec le patron ?

1. C'est pas de ma faute !
2. Allez, quoi, c'est pas grave !
3. J'y suis pour rien !
4. Je suis vraiment désolé, mais je vais vous expliquer.

NÉGOCIER

Vous voulez visiter le Mont Saint-Michel en France. Vous allez dans une agence de voyages qui vous propose un voyage organisé, mais c'est très cher. Vous essayez de négocier un tarif plus intéressant. L'examinateur joue le rôle du fonctionnaire de l'agence.

Soyez stratège ! Commencez la négociation avec politesse et gentillesse et soyez progressivement plus insistant !

1. Vous savez monsieur, je trouve ce voyage très intéressant **mais je trouve** que c'est **quand même** un peu cher.
2. **Excusez-moi d'insister**, mais pouvez-vous faire baisser un peu ce prix ?
3. **C'est une question de** moyens. Je ne peux pas m'offrir le transport en première classe !
4. Non. Vraiment je ne suis pas d'accord. Le voyage me plaît mais je n'ai pas assez d'argent. **Faites-moi une autre proposition.**
5. Écoutez, **si vous n'avez rien de mieux**, je m'en vais.

PROTESTER, SE PLAINDRE

1 **Dans un hôtel, vous vous rendez compte qu'on vous a facturé trois nuits alors que vous n'en avez passé que deux. Vous protestez pour faire modifier la facture. L'examinateur joue le rôle du réceptionniste.**

Quelle est la bonne façon de protester ? Choisissez la bonne formule.
– Salut, monsieur, ça va pas ma facture. Aide-moi.
– Bonjour monsieur. J'ai un problème avec ma facture. Pouvez-vous m'aider ?

– Je ne suis pas d'accord. J'ai dormi ici deux nuits et pas trois.
– J'ai pas envie de payer. Je n'aime pas ça.

– Vérifiez vos fiches d'inscription. Vous verrez que j'ai raison. Je ne paierai pas trois nuits au lieu de deux.
– C'est pas de ma faute. Je n'ai pas assez d'argent.

Dans un magasin, vous avez acheté un appareil photo mais en arrivant chez vous, vous constatez qu'il ne fonctionne pas : il n'y a aucun contact électrique. Vous revenez voir le vendeur, vous lui expliquez ce qui se passe et vous demandez à l'échanger. L'examinateur joue le rôle du vendeur.

L'examinateur peut vous mettre dans une situation inhabituelle. Vous allez devoir vous débrouiller, vous défendre. Il peut par exemple refuser de vous échanger l'appareil photo.

Exemple
Le vendeur – Je suis désolé monsieur, mais cet appareil fonctionnait bien hier. Vous avez dû le faire tomber. Je refuse de vous l'échanger.

Le client – Mais **pas du tout** ! Je n'ai rien fait tomber ! **Je vous dis que** cet appareil photo ne marche pas. Vous devez m'en donner un autre !

Le vendeur – Monsieur, la garantie ne fonctionne pas en cas de chute.

Le client – **Prouvez-moi** qu'il est tombé ! **Montrez-moi** une trace de choc ! Il n'y en a pas ! Alors, **arrêtez de me prendre pour un imbécile** et donnez-moi un nouvel appareil ou **je vais me fâcher pour de bon** !

SE DÉBROUILLER

Vous êtes en voyage en France et vous vous promenez dans les rues d'une grande ville. Mais vous vous êtes perdu(e) et vous avez oublié l'adresse de votre hôtel ; vous ne le retrouvez plus. Vous demandez de l'aide à un(e) passant(e). L'examinateur joue le rôle du (de la) passant(e).

Remettez dans l'ordre le dialogue suivant qui correspond à ce sujet.

A. – Vous avez l'adresse ?

B. – Merci beaucoup, madame. Au revoir.

C. – Je cherche mon hôtel. Le « Lion d'or ».

D. – Pardon madame, pouvez-vous m'aider ? Je suis étranger et je suis perdu.

E. – Ben justement, je ne la connais pas. Mais je sais que c'est à côté de la place Victor-Hugo.

F. – Qu'est-ce que vous cherchez ?

G. – Alors ce n'est pas difficile. La place Victor-Hugo se trouve près d'ici. Vous descendez la rue et vous tournez à la deuxième à droite.

Vous venez d'arriver à l'aéroport en France mais votre valise n'est pas là. Elle semble perdue. Vous allez voir l'employé de la compagnie aérienne pour faire votre déclaration de perte. L'examinateur joue le rôle de l'employé.

Pour vous entraîner à faire cet exercice, nous vous proposons d'inverser les rôles : vous êtes l'employé.

Complétez le dialogue suivant.

– .... ?
– Oui. J'ai un problème ; j'ai perdu ma valise.
– .... ?
– Sur le vol SR 098 en provenance de Lima.
– .... ?
– Oui oui. J'ai attendu à côté du tapis roulant numéro 5, celui qui était prévu pour ce vol, mais ma valise n'était pas là.
– .... ?
– C'est une assez grosse valise bleue en plastique. J'ai le ticket d'enregistrement avec moi.
– .... ?
– Oui, j'ai mis mon nom et l'adresse sur la valise, monsieur.
– .... ?
– Non, il n'y a rien de valeur, mais j'ai tous mes habits, mes affaires de toilette. Comment vais-je faire pendant les vacances ?
– .... ?
– Je reste pendant une semaine. Dans un hôtel à Paris. Sans mes affaires, c'est une catastrophe.
– .... ?
– Dans ces conditions, je pourrai acheter quelques habits. Vous me donnez cet argent aujourd'hui ?
– .... ?
– Bon. Je remplis le formulaire et je vous fais confiance. Merci.

DONNER DES INSTRUCTIONS DÉTAILLÉES

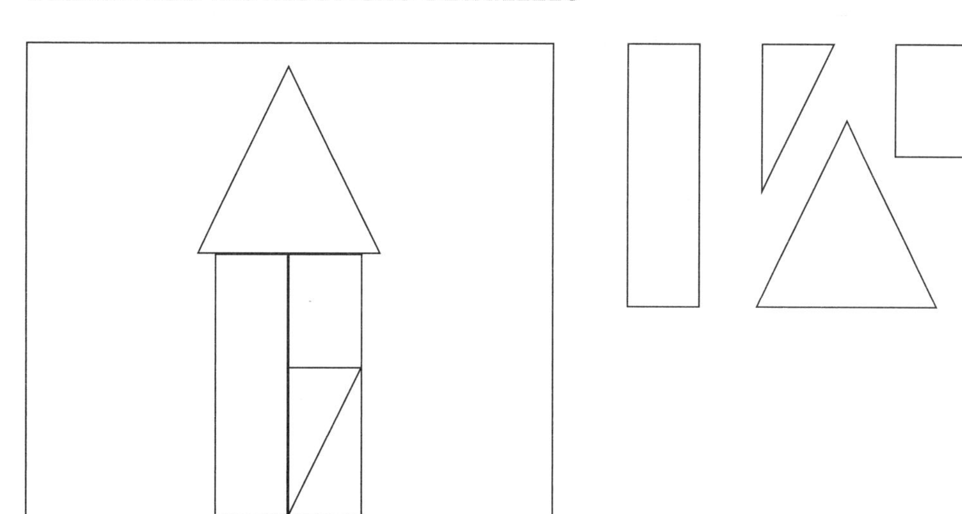

1 **Avec les formes géométriques ci-dessus, indiquez à un ami comment recomposer cette figure.**

Exemple : « Il faut que tu dessines une flèche. Pour cela, prends le grand triangle. Il servira de pointe à la flèche. Place au-dessous le grand rectangle, debout. Place juste à côté le petit rectangle qui doit toucher à la fois le triangle et le rectangle. Place enfin au-dessous les deux petits triangles qui doivent composer un autre petit rectangle que tu mets sous le petit rectangle ».

Un membre de votre famille d'accueil en France vous téléphone pour vous demander où vous avez rangé un livre qu'il/elle vous a prêté. Ce livre est en fait dans votre chambre. Vous donnez des indications à votre ami(e). L'examinateur joue le rôle de votre ami(e).

« Écoute. Le livre se trouve dans ma chambre, à côté du lit. Il est sur une petite valise bleue qui se trouve sous la chaise. Non, pas la grande chaise, la petite. Celle où j'ai laissé mes habits, juste devant la pile de disques. Tu le vois ? »
Et vous, vous le voyez ?

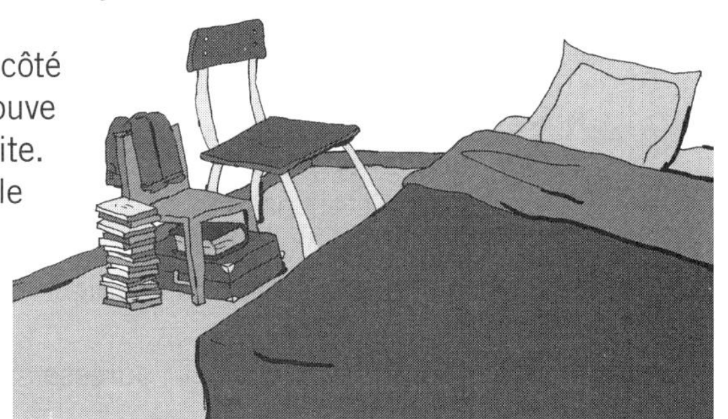

SE PRÉPARER AU MONOLOGUE SUIVI, À LA DÉFENSE D'UN POINT DE VUE (étape 3)

Une méthode pour réussir cette activité.
Un bon monologue suivi doit être structuré. Pour cela, vous suivrez un plan qui alterne les points positifs et les points négatifs, où vous articulez les informations les unes aux autres.

Vous dégagerez le thème soulevé par le document ci-dessous et vous présenterez votre opinion sous la forme d'un petit exposé de trois minutes environ. L'examinateur pourra vous poser quelques questions.

Les jeunes en quête de règles justes

Étonnant. En février dernier, le magazine *Okapi* publiait un sondage du Centre de recherche pour l'étude et l'observation des conditions de vie (Credoc) auprès de collégiens : « 83 % des collégiens interrogés pensent que l'autorité est une qualité pour un prof » ! En 2000, une enquête menée par le même Credoc concluait que 57 % des adolescents de 11 à 15 ans disaient attendre d'un adulte de « l'autorité »... Incontestablement, en quatre ans, la demande d'autorité émanant des jeunes adolescents a progressé. L'heure n'est plus à la révolte, ni au chahut, mais au retour de la discipline et de la règle. [...]

Le Monde de l'Éducation, Philippe Jacqué, septembre 2003.

1. Je présente le document. Il s'agit :
- ☐ d'un article de presse.
- ☐ d'une interview de Philippe Jacqué.
- ☐ d'une publicité du Credoc.

2. Je dégage le thème soulevé. Ce texte parle :
- ☐ de la révolte des jeunes.
- ☐ des conditions de vie des jeunes.
- ☐ de la formation des professeurs.
- ☐ du besoin d'autorité des jeunes.

3. Je présente l'idée principale. L'idée défendue par l'auteur de cet article est que :
- ☐ les jeunes ne supportent pas l'autorité.
- ☐ les jeunes veulent davantage d'autorité.
- ☐ les jeunes veulent une autorité juste.

4. Je mets en perspective. Cet article pose en fait un problème plus large. Il s'agit :
- ☐ du rapport entre les générations.
- ☐ de l'image que les jeunes attendent des adultes.
- ☐ de réformer l'école.

5. Je donne mon opinion.
Pour ma part, je pense que...
Il me semble de mon côté que...
Je crois, moi, que...

6. Je donne des exemples.
Lorsque l'auteur de cet article dit que... cela illustre par exemple...
Ainsi par exemple...

7. Je relativise mon point de vue.
Il est vrai que d'autres pensent que...
Pourtant, je dois admettre que certains disent que...

8. Je conclus.
En conclusion, je dirais que...
Pour finir/pour conclure, il me semble que...
Je terminerais en disant que...

9. Et j'invite l'examinateur à me poser des questions!
Voulez-vous en savoir plus?

À vous!

2 **Vous dégagerez le thème soulevé par le document ci-dessous et vous présenterez votre opinion sous la forme d'un petit exposé de trois minutes environ. L'examinateur pourra vous poser quelques questions.**

Pour bien comprendre et exploiter un texte. Je lis soigneusement le texte. Je repère sa structure en relevant des connecteurs. Je repère les idées.

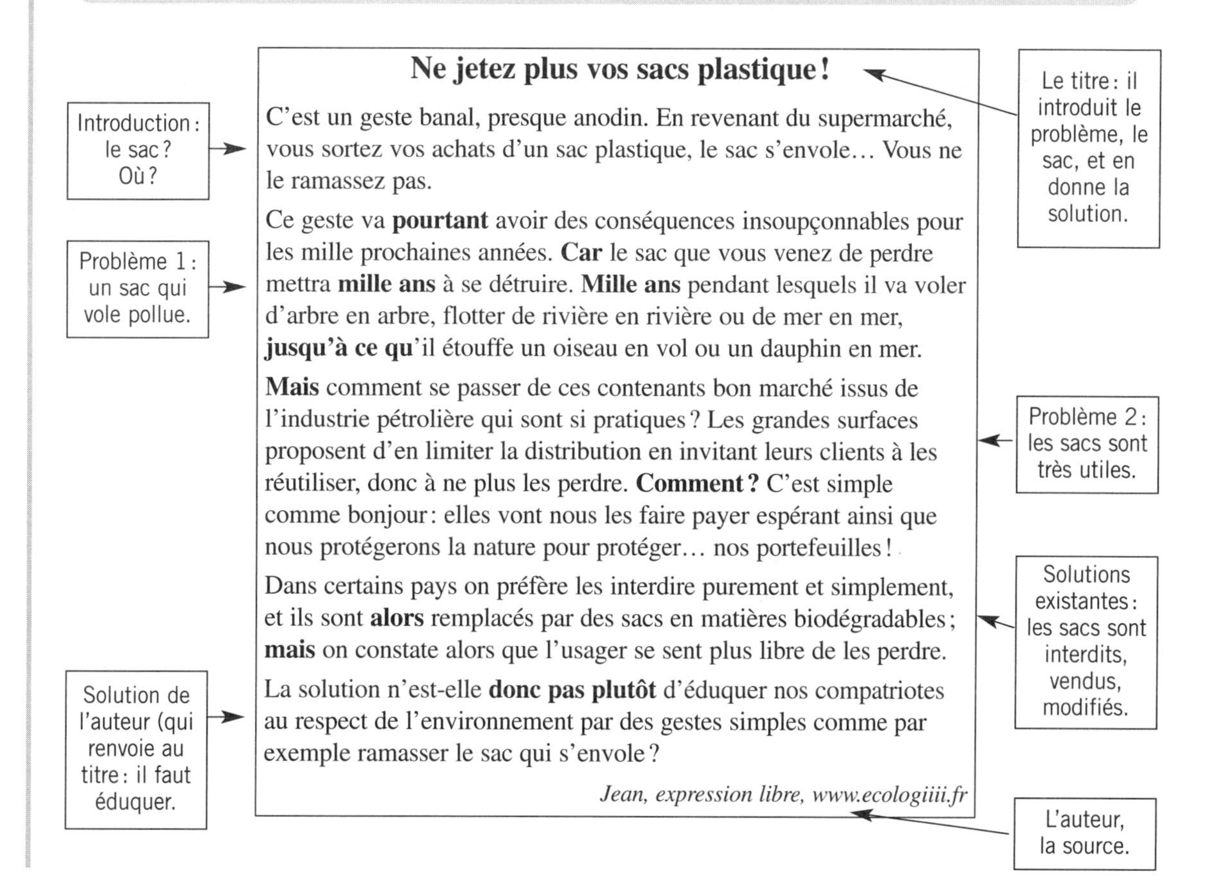

Ne jetez plus vos sacs plastique!

C'est un geste banal, presque anodin. En revenant du supermarché, vous sortez vos achats d'un sac plastique, le sac s'envole... Vous ne le ramassez pas.

Ce geste va **pourtant** avoir des conséquences insoupçonnables pour les mille prochaines années. **Car** le sac que vous venez de perdre mettra **mille ans** à se détruire. **Mille ans** pendant lesquels il va voler d'arbre en arbre, flotter de rivière en rivière ou de mer en mer, **jusqu'à ce qu'**il étouffe un oiseau en vol ou un dauphin en mer.

Mais comment se passer de ces contenants bon marché issus de l'industrie pétrolière qui sont si pratiques? Les grandes surfaces proposent d'en limiter la distribution en invitant leurs clients à les réutiliser, donc à ne plus les perdre. **Comment?** C'est simple comme bonjour: elles vont nous les faire payer espérant ainsi que nous protégerons la nature pour protéger... nos portefeuilles!

Dans certains pays on préfère les interdire purement et simplement, et ils sont **alors** remplacés par des sacs en matières biodégradables; **mais** on constate alors que l'usager se sent plus libre de les perdre.

La solution n'est-elle **donc pas plutôt** d'éduquer nos compatriotes au respect de l'environnement par des gestes simples comme par exemple ramasser le sac qui s'envole?

Jean, expression libre, www.ecologiiii.fr

1. Le document.

a) Quel est ce document ?

....

b) Quel est le thème soulevé ?

....

c) Quelle est l'idée principale ?

....

d) Plus largement, quel est le problème posé ?

....

2. Votre opinion.

a) Et vous, qu'en pensez-vous ?

- ☐ C'est un sujet important.
- ☐ Ce n'est pas une priorité.
- ☐ Cela me passionne.
- ☐ Cela m'irrite.

b) À votre avis, que faut-il faire ?

- ☐ Interdire les sacs plastique.
- ☐ Produire des sacs biodégradables.
- ☐ Vendre assez cher les sacs plastique.
- ☐ Éduquer les nouvelles générations.

c) Pourquoi ? Justifiez-vous.

....

....

Voici un autre sujet. Suivez les indications précédentes et préparez-vous à défendre votre point de vue.

3 **Vous dégagerez le thème soulevé par le document ci-dessous et vous présenterez votre opinion sous la forme d'un petit exposé de 3 minutes environ. L'examinateur pourra vous poser quelques questions.**

Il faut fermer les parcs zoologiques

Quel plaisir y a-t-il à voir un malheureux lion tondu se morfondre dans une cage de zoo ? Quel scientifique peut encore prétendre que cet emprisonnement de zèbres, de girafes et de pingouins présente un intérêt pour la recherche ?

Je dis haut et fort qu'il faut fermer les zoos car ce sont d'inutiles lieux de souffrance pour les animaux.

Et si les enfants veulent voir des singes, ils n'ont qu'à voyager ou regarder la télévision !

Simone. *Le courrier libre d'internet.*

EXEMPLE D'EXPOSÉ.

Pour ma part, j'aime bien les zoos. Quand j'étais petit(e), j'y allais avec mes parents et c'est sans doute pour cela que j'aime les animaux. Je me souviens que j'ai eu presque peur quand j'ai vu une girafe pour la première fois. Elle était immense ! Par contre, je ne veux pas que les animaux soient maltraités. Pour cela, il faut de l'argent et un personnel préparé. Et je pense aussi que c'est à l'État de contrôler les zoos.
Enfin, je voudrais ajouter que les zoos sont aussi des endroits très utiles pour la protection de certaines espèces en voie de disparition ; je ne suis pas un(e) spécialiste et je ne connais pas d'exemple précis, mais j'ai vu à la télévision que des zoos avaient permis de sauver des animaux menacés, comme les rhinocéros.
Voilà pourquoi j'apprécie les zoos, mais les bons zoos bien gérés dans le respect des animaux !

Un peu de grammaire pour mieux comprendre la structure d'un texte.

4 **Complétez le texte ci-dessous avec les connecteurs suivants (plusieurs réponses possibles).**

Aimez-vous l'art moderne ?

… répondre à cette question, on se doit………………… de définir ce qu'est l'art moderne. Je le définirai……………………….. par opposition à l'art classique,………. je ferai en me basant sur l'histoire de la peinture.

…………….., je ne prétends pas que cette méthode soit la meilleure ou la plus intelligente,…………. en tous les cas, c'est celle qui me semble la plus parlante.

L'art moderne est né à la fin du XIXe siècle………………… les impressionnistes ont abandonné l'idée de représenter le monde tel qu'il est pour tenter de le peindre tel qu'ils le ressentaient. Cézanne et Picasso poursuivirent ……………………….. cette recherche qui aboutit à l'art abstrait, une peinture où le peintre s'abandonne au plaisir des couleurs et des formes, sans se soucier de figurer quoi que ce soit.

L'art moderne est…………….. né d'une volonté de s'affranchir des règles académiques ; il a…………………………… été critiqué par les tenants de l'art classique. Pourtant, cette opposition a disparu de nos jours, car un siècle a passé. Les musées qui accrochent des toiles abstraites sont légions et certains disent…………… que cet art n'est désormais plus de l'art moderne. ………, l'art moderne élimine en effet la toile au profit de la vidéo, du monde virtuel, ou d'installations qui allient sculpture, nouvelles technologies et peinture.

On le voit, une œuvre n'est moderne que pendant quelques temps. ……….. elle devient classique. ………………….., c'est bien ce qui me plaît dans le concept de la modernité ……………… elle suit toujours les générations enterrant aujourd'hui ce qu'elle créait hier. ……………………………
vous aimerez l'art moderne si vous savez voir dans le monde d'aujourd'hui. ………………………… vous n'aimez pas, dites-vous……………………….. que ces œuvres que vous dédaignez aujourd'hui pourraient s'apparenter un jour à celles des impressionnistes que vous aimez tant.

…………… , convaincu ?

ce que
Bien sûr
mais
en premier lieu
ainsi
En conclusion
lorsque
par la suite
pour ma part
Alors
D'ailleurs
par conséquent
malgré tout
Après
même
Pour
puisqu'
Et si par hasard

Et sur ces sujets, que pourriez-vous dire ?

1. Sans argent, pas de bonheur.
2. Dormir, c'est perdre son temps.
3. Les hommes conduisent mieux que les femmes.
4. Les femmes sont plus intelligentes que les hommes.
5. Étudier l'art à l'école ne sert à rien.

Avant de partir, n'oubliez pas de prendre congé de l'examinateur !

Les notes seront communiquées par le centre d'examen. L'examinateur ne peut pas vous les communiquer directement.

AUTO-ÉVALUATION

	oui	pas toujours	pas encore
Je peux avoir une conversation sur un sujet familier, échanger des informations, discuter d'un film, d'un livre, de musique.	☐	☐	☐
Je peux demander à quelqu'un ce qu'il pense de quelque chose sur un sujet d'intérêt général.	☐	☐	☐
Je peux exprimer ma joie, ma tristesse, ma surprise.	☐	☐	☐
Je peux expliquer comment faire quelque chose en donnant des instructions détaillées.	☐	☐	☐
Je peux dire poliment ce que je pense et si je suis d'accord ou non.	☐	☐	☐
Je peux expliquer pourquoi quelque chose pose problème, discuter de la suite à donner, comparer des solutions.	☐	☐	☐
Je peux comparer des propositions, discuter de ce qu'il faut faire, où il faut aller, ce qu'il faut choisir…	☐	☐	☐
Au cours d'un voyage, je peux faire face à la plupart des situations de la vie quotidienne, résoudre la plupart des problèmes, faire des réclamations, porter plainte.	☐	☐	☐
Au cours, d'un voyage, si je suis malade, je peux expliquer ce que j'ai à un médecin.	☐	☐	☐
Je peux interviewer quelqu'un sur un sujet précis si j'ai auparavant le questionnaire et je peux aussi poser quelques questions spontanées.	☐	☐	☐
Je peux essayer de nouvelles expressions et demander si on m'a compris(e).	☐	☐	☐
Si je ne connais pas le nom d'un objet, je peux le décrire pour que tout le monde comprenne de quoi je parle.	☐	☐	☐
Si je ne connais pas un mot, je peux en donner d'autres qui l'expliquent.	☐	☐	☐
Je peux reformuler ce que quelqu'un vient de me dire pour vérifier si j'ai bien compris.	☐	☐	☐
Je peux raconter en détail une expérience et décrire mes réactions et mes sentiments.	☐	☐	☐
Je peux raconter un livre que j'ai lu ou un film que j'ai vu, dire si j'ai aimé et expliquer pourquoi.	☐	☐	☐
Je peux raconter un rêve et parler d'un projet.	☐	☐	☐
Je peux faire un petit exposé, sur un sujet que je connais bien à condition de l'avoir préparé avant.	☐	☐	☐

SUJET D'EXAMEN
DELF B1
Partie 1
COMPRÉHENSION DE L'ORAL

25 points

Vous allez entendre trois documents sonores, correspondant à des situations différentes.
Pour le premier et le deuxième documents, vous aurez :
– 30 secondes pour lire les questions ;
– une première écoute, puis 30 secondes de pause pour commencer à répondre aux questions ;
– une deuxième écoute, puis 1 minute de pause pour compléter vos réponses.
Répondez aux questions, en cochant la bonne réponse, ou en écrivant l'information demandée.

EXERCICE 1 — *6 points*

1. Quel a été le principal inconvénient du voyage de Paul ? *1 point*
☐ La nourriture. ☐ La chaleur. ☐ La longueur du voyage.

2. Combien de pays ont-ils visités ? *1 point*
☐ Cinq. ☐ Six. ☐ Seize.

3. Leur voyage s'est terminé : *1 point*
☐ en Argentine. ☐ au Chili. ☐ au Venezuela.

4. Quel sentiment éprouve Paul ? *1 point*
☐ Il est déçu de son voyage et content d'être rentré.
☐ Il est content de son voyage et regrette d'être rentré.
☐ Il est content de son voyage et content aussi d'être rentré.

5. L'été prochain, Paul partira en voyage avec Marie. *1 point*
☐ VRAI ☐ FAUX ☐ *On ne sait pas.*

6. Où pense-t-il aller ? *1 point*
☐ Dans un seul pays du Nord de l'Europe.
☐ Dans deux pays du Nord de l'Europe.
☐ Dans tous les pays du Nord de l'Europe.

EXERCICE 2

6 points

1. **Ce document est:** *1 point*
   - ☐ une publicité pour un nouveau produit.
   - ☐ la présentation d'une nouvelle invention.
   - ☐ la présentation d'un film de science-fiction.
2. **Pour « connaître le futur », il faut:** *1 point*
   - ☐ rester assis devant un miroir magique.
   - ☐ saisir soi-même des informations dans un ordinateur.
   - ☐ se laisser filmer par des caméras reliées à un ordinateur.
3. **À la fin, on peut obtenir des informations sur:** *1,5 point*
   - ☐ les événements qui vont se produire dans les cinq ans à venir.
   - ☐ les maladies que l'on risque d'avoir dans les cinq ans à venir.
   - ☐ l'apparence physique que l'on aura cinq ans plus tard.
4. **Cette nouvelle technologie est destinée:** *1 point*
   - ☐ aux personnes qui veulent améliorer leur mode de vie.
   - ☐ aux médecins.
   - ☐ aux sociologues qui étudient les comportements humains.
5. **Que pense le journaliste de cette technologie?** *1,5 point*
   - ☐ Il est enthousiasmé.
   - ☐ Il est tout à fait contre.
   - ☐ Il a des doutes sur son succès.

EXERCICE 3

13 points

Vous allez entendre un document sonore. Vous aurez tout d'abord 1 minute pour lire les questions, puis vous entendrez deux fois l'enregistrement avec une pause de 3 minutes entre les deux écoutes. Après la deuxième écoute, vous aurez encore 2 minutes pour compléter vos réponses.
Répondez aux questions, en cochant la bonne réponse, ou en écrivant l'information demandée.

1. **Qu'est-ce qui, aujourd'hui, attire les gens dans le Yukon?** *1 point*
   ☐ L'or. ☐ La nature et le calme. ☐ Le climat.
2. **Philippe Lansac s'est installé définitivement dans le Yukon.** *1 point*
   ☐ VRAI ☐ FAUX ☐ *On ne sait pas.*
3. **Complétez le tableau.** *1,5 point*

Région	Pays	Taille	Nombre d'habitants
Yukon	☐ États-Unis ☐ Canada ☐ Russie		

4. **Aujourd'hui, les chercheurs d'or:** *1 point*
   - ☐ ont complètement disparu.
   - ☐ sont moins nombreux qu'avant.
   - ☐ sont toujours aussi nombreux.

5. Les objets qui intéressent les « historiens archéologues » du Yukon sont : *1,5 point*
- ☐ des objets de l'époque des chercheurs d'or.
- ☐ des objets utilisés par les Indiens du Grand Nord.
- ☐ des souvenirs d'une civilisation disparue.

6. Les habitants du Yukon : *1,5 point*
- ☐ ont beaucoup de contacts avec le reste du monde.
- ☐ regrettent d'être trop isolés.
- ☐ sont isolés, mais contents de l'être.

7. Ces habitants : *1,5 point*
- ☐ viennent très souvent d'un autre pays ou d'une autre région.
- ☐ viennent tous des États-Unis.
- ☐ sont installés là depuis plusieurs générations.

8. Citez trois catégories de personnes attirées par le Grand Nord : *1,5 point*

a) ....

b) ....

c) ....

9. Les gens du Yukon : *1,5 point*
- ☐ trouvent que la vie là-bas est vraiment trop difficile.
- ☐ trouvent que l'on ne parle pas assez de leur région.
- ☐ ne veulent pas qu'on donne une image attirante de leur région.

10. Selon le journaliste, la vie dans le Yukon est beaucoup plus facile qu'on ne le pense. *1 point*

☐ VRAI ☐ FAUX ☐ *On ne sait pas.*

Partie 2
COMPRÉHENSION DES ÉCRITS

25 points

EXERCICE 1 ***10 points***

Avec un(e) ami(e), vous souhaitez suivre un cours de français langue étrangère en France pendant quatre semaines dans le but de vous préparer à l'examen du DALF.
Vous voulez un cours intensif et vous préférez que le cours ne dépasse pas 15 étudiants par classe. Par ailleurs, vous désirez loger en famille, faire des excursions dans des lieux connus, goûter aux spécialités gastronomiques locales, rencontrer des habitants de la région et surtout multiplier les occasions de parler français. Vous hésitez entre deux organismes dont les caractéristiques sont les suivantes :

	Centre de langue de Saint-Rémy-de-Provence	**Centre de linguistique de Carnac**
Programme pédagogique	Français général : 15, 21, 23 ou 30 heures de cours par semaine. 13 niveaux au minimum, garantis toute l'année. Nombre moyen d'étudiants par classe : 8 à 12. Préparation au DELF, au DALF et au diplôme de langue de l'Alliance française. Tous les examens, sauf le DALF, se passent au Centre.	Pratique de la langue : – cours intensifs mensuels (4 semaines et plus) ; – cours semi-intensifs semestriels (13 semaines) ; – cours collectifs sur mesure. Préparation au DELF et au DALF. Effectifs par classe inférieurs à 13.
Hébergement	Au choix, en internat sur le campus (demi-pension ou pension complète) ou en externat (studio meublé).	Plusieurs formules : dans une famille française ; en résidence universitaire ; en studio indépendant ; dans un centre de séjour ; dans un foyer de jeunes travailleurs (de 16 à 25 ans) ; en hôtel de tourisme.
Activités culturelles	Dégustation de produits locaux dans les restaurants des environs et les fermes provençales. Visite de villages provençaux. Sur le campus : bibliothèque, « cyberdrome » (salle Internet), cinémathèque, gymnase, terrains de sport, foyer-bar.	Rencontres et sorties sportives ; excursions à Paris et dans les châteaux de la Loire ; spectacles ; ateliers hebdomadaires : musique, théâtre, danse, chant, vidéoclub, etc. Le célèbre « Tour du monde en 80 plats » : découverte des cuisines du monde préparées par les stagiaires.
Vivre avec les Français	Club « échange-langue » (échange d'heures de conversation avec des Français), « Points Accueil Plus » dans les boutiques et les restaurants, possibilité de rejoindre des clubs sportifs de la région.	Stages spécifiques orientés sur l'interculturel ; des activités extra-pédagogiques très variées permettant d'aller à la rencontre des habitants de la ville et de la région : soirées, sorties et week-ends en village, échanges, participation à des projets.

Pour chacun des centres de langue, et pour chacun des critères proposés, mettez une croix dans la case « convient » ou « ne convient pas ».

	Centre de langue de Saint-Rémy-de-Provence		Centre de linguistique de Carnac	
	Convient	Ne convient pas	Convient	Ne convient pas
Cours intensif/Nombre d'étudiants				
Préparation au DALF				
Hébergement				
Spécialités gastronomiques locales				
Rencontres avec des habitants				

EXERCICE 2

15 points

Lisez le texte ci-dessous, puis répondez aux questions, en cochant la bonne réponse, ou en écrivant l'information demandée.

Pourquoi certains mots résistent au temps alors que d'autres disparaissent ? Qu'est-ce qui définit le français du Canada, du Québec, de l'Acadie, de l'Ontario... et de Paris ? Quels sont les moteurs linguistiques et sociaux du changement ? Comment distinguer entre archaïsmes, anglicismes et innovation ?

Voilà autant de questions auxquelles tentera de répondre le grand projet de recherche « Modéliser le changement : les voies du français », en explorant la remarquable variété des formes du français au cours des âges.

« Nous voulons examiner comment s'est façonnée notre langue au cours des siècles, en partant du français du Canada, au moment de la conquête de la Nouvelle-France et en remontant à ses origines au Moyen-Âge », explique France Martineau, professeure titulaire à l'Université d'Ottawa et chercheure principale du projet.

Réalisé grâce à une subvention de 2,5 millions de dollars du Conseil de recherches en sciences humaines du Canada (CRSH), ce vaste projet s'échelonnera sur cinq ans et regroupera une quarantaine de chercheurs, 11 cochercheurs provenant de sept universités et 28 collaborateurs et collaboratrices répartis un peu partout dans le monde. Les grands centres d'archives canadiens sont des partenaires privilégiés du projet.

Le projet de recherche vise à créer une base de données textuelles complètement numérisées contenant quelque dix millions de mots (tirés de lettres ainsi que de documents littéraires, juridiques et notariaux). En y intégrant une technologie de pointe, la base de données contribuera à identifier les sources et l'évolution des changements linguistiques et identitaires.

L'apport de chercheurs représentant plusieurs disciplines, dont la linguistique, la littérature, l'histoire, la géographie et l'informatique, permettra aussi de situer le contexte de ces changements linguistiques.

« Ce projet vise à faire entendre les voix du passé. Notre langue mérite qu'on explique la complexité de son parcours », ajoute Mme Martineau.

http://www.gazette.uottawa.ca/article_f_779.html
Gazette de l'université d'Ottawa.

1. Proposez un titre à ce document. *2 points*

....

2. Les spécialistes se posent des questions sur : *(plusieurs réponses possibles)* *2 points*
- ☐ la raison de la survie ou de la disparition des mots.
- ☐ la raison de l'appauvrissement de la langue.
- ☐ les caractéristiques du français par rapport aux autres langues.
- ☐ les caractéristiques de la langue française selon l'endroit où on la parle.
- ☐ l'évolution du français de spécialité.
- ☐ les facteurs divers intervenant dans l'évolution de la langue.
- ☐ la typologie des aspects de la langue.

3. Vrai, faux, on ne sait pas ? Cochez la case correspondante. *2 points*

« Modéliser le changement : les voies du français » est un projet :

	VRAI	**FAUX**	***On ne sait pas.***
a) en cours.			
b) qui porte sur le français au Moyen-Âge.			
c) excluant les pays non francophones.			
d) dont France Martineau est à l'origine.			

4. La recherche commence par le français parlé au Moyen-Âge. *1,5 point*

☐ VRAI ☐ FAUX ☐ *On ne sait pas.*

Justification : ....

....

5. Moyens accompagnant le projet : répondez aux questions. *5,5 points*

a) Qui finance le projet ? *0,5 point*

....

b) Quel budget est octroyé ? *0,5 point*

....

c) Quelle est sa durée ? *0,5 point*

....

d) Combien de chercheurs implique-t-il ? *1 point*

....

e) De quelle origine sont les chercheurs ? *1 point*

....

f) Quel outil sera utilisé pour traiter les résultats de la recherche ? *1 point*

....

g) Quel est l'objectif concret de cette recherche ? *1 point*

....

6. Que veut dire Mme Martineau lorsqu'elle conclut en disant que « ce projet vise à faire entendre les voix du passé » ? *2 points*

....

....

....

Partie 3
PRODUCTION ÉCRITE

25 points

ESSAI

À votre avis, quels ont été le ou les changements les plus importants des vingt dernières années dans votre pays? Quels sont ceux qui ont été positifs ou ceux qui ont été négatifs selon vous?
Vous écrirez un texte construit et cohérent sur ce sujet (160 à 180 mots).

....

....

....

....

Partie 4
PRODUCTION ORALE

25 points

L'épreuve se déroule en trois parties qui s'enchaînent. Elle dure entre 10 et 15 minutes. Pour la troisième partie seulement, vous disposez de 10 minutes de préparation. Cette préparation a lieu avant le déroulement de l'ensemble de l'épreuve.

ENTRETIEN DIRIGÉ *(2 à 3 minutes)*

Vous parlez de vous, de vos activités, de vos centres d'intérêt. Vous parlez de votre passé, de votre présent et de vos projets.
L'épreuve se déroule sur le mode d'un entretien avec l'examinateur qui amorcera le dialogue par une question (exemples : *Bonjour... Pouvez-vous vous présenter? me parler de vous? de votre famille?...*).
L'examinateur peut aussi relancer l'entretien sur des thèmes tels que :
Où avez-vous passé vos dernières vacances?
Qu'est-ce que vous êtes en train d'étudier?
Que voulez-vous faire plus tard?
Parlez-moi de vos passe-temps préférés.

EXERCICE EN INTERACTION *(3 à 4 minutes)*

Vous tirez au sort l'un des deux documents que vous présente l'examinateur. Vous jouez le rôle qui vous est indiqué.

1. Vous êtes arrivé(e) plusieurs fois en retard au cours de français. Aujourd'hui votre professeur n'est pas content. Vous discutez avec lui après le cours et vous essayez de vous justifier. L'examinateur joue le rôle du professeur.
2. Vous souhaitez organiser chez vous une fête d'adieu pour un camarade de classe. Vous en discutez avec vos parents (père ou mère). Mais vous n'êtes pas d'accord sur la date, l'heure, le type de menu, le nombre des invités. L'examinateur joue le rôle du père ou de la mère.

EXPRESSION D'UN POINT DE VUE *(5 à 7 minutes)*

Vous tirez au sort l'un des deux documents que vous présente l'examinateur.
Vous disposez de 10 minutes de préparation.

1. **Vous dégagerez le thème soulevé par le document ci-dessous et vous présenterez votre opinion sous la forme d'un petit exposé de trois minutes environ. L'examinateur pourra vous poser quelques questions.**

Ils ont choisi de vivre SANS TÉLÉ

Ils ont 20, 40 ou 70 ans, habitent en ville, travaillent, sont étudiants ou retraités, parents ou célibataires. Bref, ils sont comme vous et moi. Sauf qu'ils n'ont pas la télé. « Ça existe encore ? », s'étonnent en chœur les téléphages… Eh oui ! Et ils font partie de ces 5 % de Français qui ne possèdent pas de poste fixe (ils étaient 14 % en 1973). Pour cette minorité réfractaire, la télévision rime avec pollution mentale, passivité et perte de temps.

Télé Star, 20 septembre 2004.

2. **Vous dégagerez le thème soulevé par le document ci-dessous et vous présenterez votre opinion sous la forme d'un petit exposé de trois minutes environ. L'examinateur pourra vous poser quelques questions.**

Apprendre les langues étrangères ne sert à rien !

Je ne comprends vraiment pas pourquoi on continue d'enseigner les langues étrangères à l'école. On trouve aujourd'hui des tas de programmes de traduction directe particulièrement performants, faciles à transporter et même assez bon marché, qui vous évitent d'avoir à mémoriser les verbes irréguliers et les listes sans fin de vocabulaire !
On devrait plutôt consacrer nos efforts sur la recherche d'outils de traduction encore plus performants.

Jean. *Le Courrier libre d'internet.*

DELF B1

GRILLE D'ÉVALUATION – PRODUCTION ÉCRITE

25 points

Respect de la consigne Peut mettre en adéquation sa production avec le sujet proposé. Respecte la consigne de longueur minimale indiquée.	0	0,5	1	1,5	2				
Capacité à présenter des faits Peut décrire des faits, des événements ou des expériences.	0	0,5	1	1,5	2	2,5	3	3,5	4
Capacité à exprimer sa pensée Peut présenter ses idées, ses sentiments et ou ses réactions et donner son opinion.	0	0,5	1	1,5	2	2,5	3	3,5	4
Cohérence et cohésion Peut relier une série d'éléments courts, simples et distincts en un discours qui s'enchaîne.	0	0,5	1	1,5	2	2,5	3		

Compétence lexicale/orthographe lexicale

Étendue du vocabulaire Possède un vocabulaire suffisant pour s'exprimer sur des sujets courants, si nécessaire à l'aide de périphrases.	0	0,5	1	1,5	2
Maîtrise du vocabulaire Montre une bonne maîtrise du vocabulaire élémentaire mais des erreurs sérieuses se produisent encore quand il s'agit d'exprimer une pensée plus complexe.	0	0,5	1	1,5	2
Maîtrise de l'orthographe lexicale L'orthographe lexicale, la ponctuation et la mise en page sont assez justes pour être suivies facilement le plus souvent.	0	0,5	1	1,5	2

Compétence grammaticale/orthographe grammaticale

Degré d'élaboration des phrases Maîtrise bien la structure de la phrase simple et les phrases complexes les plus courantes.	0	0,5	1	1,5	2
Choix des temps et des modes Fait preuve d'un bon contrôle malgré de nettes influences de la langue maternelle.	0	0,5	1	1,5	2
Morphosyntaxe – orthographe grammaticale Accord en genre et en nombre, pronoms, marques verbales, etc.	0	0,5	1	1,5	2

GRILLE D'ÉVALUATION – PRODUCTION ORALE

25 points

► 1re partie – Entretien dirigé

Peut parler de soi avec une certaine assurance en donnant informations, raisons et explications relatives à ses centres d'intérêt, projets et actions.	0	0,5	1	1,5	2
Peut aborder sans préparation un échange sur un sujet familier avec une certaine assurance.	0	0,5	1		

► 2e partie – Exercice en interaction

Peut faire face sans préparation à des situations même un peu inhabituelles de la vie courante (respect de la situation et des codes sociolinguistiques).	0	0,5	1		
Peut adapter les actes de parole à la situation.	0	0,5	1	1,5	2
Peut répondre aux sollicitations de l'interlocuteur (vérifier et confirmer des informations, commenter le point de vue d'autrui, etc.).	0	0,5	1	1,5	2

► 3e partie – Expression d'un point de vue

Peut présenter d'une manière simple et directe le sujet à développer.	0	0,5	1			
Peut présenter et expliquer avec assez de précision les points principaux d'une réflexion personnelle.	0	0,5	1	1,5	2	2,5
Peut relier une série d'éléments en un discours assez clair pour être suivi sans difficulté la plupart du temps.	0	0,5	1	1,5		

► Pour l'ensemble des trois parties de l'épreuve

Lexique (étendue et maîtrise) Possède un vocabulaire suffisant pour s'exprimer sur des sujets courants, si nécessaire à l'aide de périphrases ; des erreurs sérieuses se produisent encore quand il s'agit d'exprimer une pensée plus complexe.	0	0,5	1	1,5	2	2,5	3	3,5	4		
Morphosyntaxe Maîtrise bien la structure de la phrase simple et les phrases complexes les plus courantes. Fait preuve d'un bon contrôle malgré de nettes influences de la langue maternelle.	0	0,5	1	1,5	2	2,5	3	3,5	4	4,5	5
Maîtrise du système phonologique Peut s'exprimer sans aide malgré quelques problèmes de formulation et des pauses occasionnelles. La prononciation est claire et intelligible malgré des erreurs ponctuelles.	0	0,5	1	1,5	2	2,5	3				

TRANSCRIPTIONS

COMPRENDRE UN DOCUMENT À CARACTÈRE INFORMATIF, p. 13

Identifier la nature et la fonction du document, p. 14

❶ **1.** La planète Mars a toujours fasciné les imaginations, sans doute parce qu'elle est celle qui présente les conditions les plus favorables à une éventuelle colonisation humaine. L'homme ira-t-il un jour sur Mars ? Avec nous, les astronomes Jacques Moroni et Sylviane Longchamp, qui ont aimablement accepté de répondre à nos questions.
2. Aujourd'hui, nous vous emmenons dans le Yukon, cette province austère mais passionnante du Grand Nord canadien, sur les traces des chercheurs d'or du grand écrivain Jack London.
3. Selon le capitaine de l'équipe de France de football Patrick Vieira, le retour de Zinédine Zidane et de Claude Makelele renforce les chances des Bleus de se qualifier pour la Coupe du monde 2006. « Ils vont nous apporter toute leur expérience et, je l'espère, nous donner tout ce qui nous a manqué jusqu'à aujourd'hui », a-t-il déclaré dans un entretien à *L'Équipe*.
4. Tout le monde connaît le jardin du Luxembourg, les Buttes-Chaumont ou le parc Montsouris. Mais il y a à Paris bien d'autres jardins plus discrets et moins fréquentés du grand public. Nous les avons parcourus pour vous et, vous allez le voir, on y fait de surprenantes découvertes.
5. Les deux incendies de Martigues et Istres, dans l'ouest des Bouches-du-Rhône, ont été arrêtés jeudi matin après avoir parcouru près d'une centaine d'hectares. Les pompiers ont maîtrisé les flammes durant la nuit mais restent sur place pour éviter les reprises. Le vent devrait en effet souffler jusqu'à 80 km/h cet après-midi.
6. Avec son deuxième album, vendu à plus de 20 000 exemplaires, le guitariste Éric Brissot s'est déjà fait un nom sur la scène française. Mais il ne compte pas s'arrêter en si bon chemin, et a déjà bien d'autres projets en tête. N'est-ce pas, Éric ?
7. Avec une croissance de 4,3 % de sa production, l'industrie automobile a pleinement participé à la reprise, l'an dernier en France, selon une étude publiée jeudi par l'INSEE.

❷ **1.** À 11 h 30, après le journal, nous retrouverons Jean-Pierre Darion pour la chronique cinéma, avec une sélection des meilleurs films de la semaine.
2. Préparez votre avenir avec Eurélite. Vous voulez intégrer rapidement n'importe quelle entreprise, sans devoir passer par une longue période d'apprentissage, trouver une profession captivante et bien rémunérée ? Eurélite, champion de l'enseignement par correspondance, forme les techniciens de la société nouvelle !
3. Ce mois-ci, nous avons noté aussi des prix très intéressants sur les DVD chez CD-Discount, l'un des sites les plus populaires de vente par Internet.
4. Au Canada par exemple, l'organisme NCP a été mis en place par les industriels pour maintenir la confiance du public dans la publicité. Les services d'approbation de NCP examinent les textes publicitaires afin d'aider les annonceurs à respecter les règlements et les codes d'éthique publicitaire.
5. Une recette traditionnelle, peu de sucre et beaucoup de fruits, une saveur intense et délicate à la fois – tout le savoir-faire d'autrefois se retrouve dans les confitures Grand-Maman. Grand-Maman, la confiture des gourmands.

❸ **1.** Une fois le permis en poche, la tentation est grande d'utiliser, pour les vacances ou une petite virée, la voiture de ses parents. Mais avant de prendre le volant, vous devez vous renseigner sur votre couverture en cas d'accident. Si vous avez l'intention d'utiliser régulièrement leur voiture, par exemple pour vous rendre à vos cours, il faut alors que vos parents vous désignent auprès de l'assurance comme « conducteur habituel » du véhicule.
2. L'association Paris-Village, dans le XVIIe arrondissement, organise comme chaque année pendant la dernière quinzaine de mai une animation sur le thème de la fête des Mères. Cet événement a pour but, bien sûr, de rendre hommage à toutes les mères, mais aussi de rendre le quartier plus chaleureux et de développer l'échange entre tous.
3. Si vous aimez le théâtre, sachez que le conseil régional d'Île-de-France a mis en place, pour les lycéens, un chéquier-culture qui donne droit, pour 15 euros, à trois places par année scolaire pour le spectacle de son choix, dans l'une des 250 salles partenaires de la région. Il serait dommage de ne pas en profiter !
4. Les vacances d'été approchent à grands pas. Avant de prendre la route, voici des conseils et astuces pour arriver à destination sans mauvaise surprise.
5. Dans quelques minutes, retrouvez Clémentine et Valentin dans une nouvelle aventure. En voulant aider un oiseau perdu, ils vont entrer dans le royaume du Prince Noir, et y faire d'étranges rencontres…

Identifier le thème abordé dans le document, p. 14

❹ **1.** L'équipe de France compte bien effacer ses mauvais résultats aux Jeux olympiques d'Athènes en décrochant cinq médailles aux championnats du monde d'athlétisme qui débutent samedi à Helsinki.
2. Le musée du Luxembourg consacre une exposition à la dernière période du peintre Henri Matisse, celle ou le peintre, cloué dans un fauteuil roulant, adopte une nouvelle manière de peindre et retrouve une jeunesse et une fantaisie éblouissantes.
3. À deux jours du soixantième anniversaire de la première attaque nucléaire de l'histoire, près de 10 000 pacifistes étaient réunis jeudi à Hiroshima pour la Conférence annuelle contre les bombes atomiques et à hydrogène. C'est l'une des nombreuses manifestations pour la paix organisées avant les cérémonies de samedi.
4. Cork, troisième ville d'Irlande, est capitale de la culture en 2005. C'est une belle destination de week-end, car il y a beaucoup à voir dans ses différents quartiers et aux environs. Des formules comprenant la traversée en bateau à partir de Roscoff sont proposées à partir de 98 euros.
5. Le groupe allemand Adidas, déjà numéro deux mondial des équipements sportifs après Nike, va lancer une offre publique d'achat sur son concurrent Reebok, pour 59 dollars par action, précise-t-il.
6. Studio Canal publie aujourd'hui en DVD quatre films muets d'Alfred Hitchcock, datant de la période anglaise du cinéaste. Des œuvres où le futur maître du suspense montre déjà un sens très sûr du récit et de l'image.
7. Des recherches publiées dans les magazines scientifiques *Science* et *Nature* assurent que l'épidémie de grippe aviaire, qui a déjà fait 55 morts chez l'homme en Asie du Sud-Est, pourrait être combattue grâce à des mesures d'isolement des malades combinées à la distribution de médicaments antiviraux.

8. Une nouvelle fois, un homme a été arrêté alors qu'il tentait d'escalader le premier étage de la tour Eiffel. C'est la troisième tentative de ce genre depuis le début du mois de juillet.

5 **1.** Une jeune savante s'efforce de trouver la formule qui permettra de débarrasser la planète de créatures extraterrestres. Un film réalisé à 100 % en images de synthèse.
2. Situé au cœur de la forêt amazonienne, l'opéra de Manaus, au Brésil, a été inauguré en 1896. À travers l'histoire du bâtiment et de nombreux témoignages, le réalisateur nous fait découvrir une ville passionnante, au carrefour de multiples cultures.
3. Une femme persécute son ancien ami, auquel elle est toujours attachée, et glisse peu à peu vers la folie. Un film sensible sur la douleur d'aimer, et celle de ne plus aimer.
4. La rédactrice en chef d'un important journal new-yorkais disparaît mystérieusement. Son fils est persuadé qu'elle a été assassinée, et décide de mener sa propre enquête.
5. Pour aider son meilleur ami à se marier, un brave garçon pas très doué décide de cambrioler un palace. La première partie est pleine de trouvailles amusantes, la suite manque un peu de rythme.

6 **Document 1.** La pollution de notre planète est l'un de nos grands sujets de préoccupation. On parle moins de la pollution de l'espace, et pourtant... Si l'espace n'est pas pollué au sens où l'on parle de la pollution chimique de l'air ou de l'eau, il est en revanche encombré : aujourd'hui, près de 8 000 objets mesurant plus de 10 centimètres tournent autour de la Terre. Il faut y ajouter 20 000 objets de moins de 10 centimètres, et 3 millions de débris divers d'une taille inférieure à un centimètre. Ce sont essentiellement des morceaux de fusées ou de satellites qui ont explosé. Ces morceaux, qui retomberont sur la Terre un jour ou l'autre, représentent un véritable risque, car certains contiennent des matières radioactives extrêmement dangereuses. Pour ramasser ces débris, des solutions existent, mais elles sont actuellement beaucoup trop chères pour être mises en pratique.
Document 2. Les vacances d'été arrivent à grands pas !
Les familles prévoient déjà les destinations et les réservations de leurs séjours. Malheureusement, rappelons qu'en France un enfant sur trois ne part pas en vacances, faute de moyens suffisants pour les parents. Le Secours populaire français propose aux 6-10 ans un premier départ en vacances, de deux ou trois semaines, dans des familles d'accueil : une occasion pour eux d'ouvrir leur horizon et de s'enrichir au contact d'un autre milieu. Les familles volontaires pour offrir aux enfants un peu de bonheur estival peuvent contacter le 01 45 38 21 00.

Identifier des informations précises, p. 15

7 Le premier festival de Cannes s'est déroulé en 1946 dans le casino de la ville. L'histoire de ce festival de réputation mondiale est cependant plus ancienne : en 1930, Jean Zay, ministre français de l'Instruction publique et des Arts, avait proposé la création à Cannes d'un festival cinématographique de niveau international. La première édition du festival devait avoir lieu en septembre 1939, mais la déclaration de guerre de la France et du Royaume-Uni à l'Allemagne, le 3 septembre, y mit fin prématurément.
Le festival a lieu tous les ans. Il a cependant été annulé en 1948 et 1950, pour raison budgétaire, et en 1968, suite aux mouvements sociaux en France.
En 1983, un nouveau Palais du Festival a ouvert ses portes, remplaçant celui qui avait été inauguré en 1949.
Le prix le plus convoité, la Palme d'Or, est décerné depuis 1955 au meilleur film. Elle a succédé au Grand prix du festival, qui existait depuis sa première édition. La Caméra d'or, pour sa part, récompense depuis 1978 le meilleur premier film.

8 **1.** Le nouveau centre culturel devrait ouvrir ses portes avant la fin de l'année.
2. Lorsqu'en 1952 la jeune Brigitte Bardot apparaît pour la première fois à l'écran, dans *Le Trou normand* de Jean Boyer, personne ne soupçonne la carrière qui l'attend.
3. Cette jeune république traverse aujourd'hui la crise politique la plus importante depuis la proclamation de son indépendance.
4. Donc, Charles-Édouard, on vous retrouve le 17 mai sur notre antenne, pour une nouvelle série d'émissions consacrée aux grandes découvertes scientifiques.
5. Ce documentaire, récompensé par de nombreux prix, et déjà diffusé à plusieurs reprises, a été tourné en 1992.
6. Écoutez, il est très difficile de voir, il y a beaucoup de monde, mais... oui, il n'y a plus de doute, c'est bien Hervé Goujon qui est en tête !
7. Le tableau le plus célèbre de l'auteur, « Paysage après la tempête », ne figurait pas dans l'exposition, car il était alors en cours de restauration.

9 **1.** On peut s'attendre à une nouvelle augmentation du prix du pétrole dans les trois mois à venir.
2. Les résultats de l'enquête seront publiés dans le prochain numéro du magazine.
3. À l'issue de ce match, la jeune Australienne pourrait bien devenir le numéro 1 du tennis mondial.
4. Dans le contexte actuel, l'annonce d'un remaniement ministériel n'étonnerait personne.
5. Demain, le temps se fera plus humide, avec des températures proches de la normale saisonnière.
6. Le président devrait faire connaître sa décision dans la soirée.
7. Il y a fort à parier que le nouvel album du groupe se vendra comme des petits pains.

10 *Cf. transcription activité 6.*

11 Les magasins de vente en ligne se multiplient, et il devient parfois difficile pour l'acheteur de s'y retrouver, d'autant que chacune de ces sociétés affirme offrir les meilleurs prix. Ces offres sont-elles vraiment équivalentes ? À titre d'exemple, nous avons comparé celles de trois magasins réputés les moins chers, pour un même produit : l'appareil photo numérique, le Sushiba 240ZX.
Côté prix, les différences ne sont pas insignifiantes. Le plus bas, 649 euros est proposé par *NetAchat*, alors que le même appareil est vendu 660 euros chez *Microrêve*, 665 euros chez *SmartDiscount*, et 711 euros chez *Diginet*. Cependant, le prix n'est pas tout. Il faut compter avec les délais de livraison, deux jours seulement dans les trois derniers magasins, alors qu'ils atteignent une semaine chez *NetAchat*. Enfin, la durée de garantie est elle aussi très variable : 3 ans chez *Diginet*, 2 ans chez *NetAchat* et *Microrêve* et un an seulement chez *SmartDiscount*.

⓬ Comme chaque année, le Parc Floral du bois de Vincennes propose, de la fin mai à la fin septembre, des spectacles gratuits tout particulièrement destinés aux enfants de 3 à 10 ans. Théâtre, musique, chansons, marionnettes sont à l'honneur, sans oublier le cirque. Les spectacles ont lieu tous les mercredis à 14h30. Pour plus d'informations, téléphonez au 01 55 64 21 20, ou consultez le site internet de la ville de Paris : www.paris.fr

⓭ Depuis quelques mois, les Sud-Africains doivent payer leurs sacs plastique dans les magasins. Les sacs fins utilisés jusqu'alors sont devenus illégaux et doivent être remplacés par des sacs plus épais, utilisables plusieurs fois, et plus faciles à recycler. L'Afrique du Sud est le premier pays d'Afrique à prendre des mesures contre cette pollution qui a pris d'inquiétantes proportions ces dernières années. Selon un sondage, 54 % des consommateurs vont désormais faire leurs courses avec leur sac – comme David, habitant de Soweto : « Je fais ça pour l'environnement, dit-il, plus que pour les quelques centimes que j'économise ». Depuis quelque temps, il y a beaucoup moins de déchets dans les rues. Une initiative dont de nombreux pays feraient bien de s'inspirer...

⓮ Eh oui : on ne l'attendait plus, l'été est revenu ! Après quelques journées plutôt fraîches, ce mois de septembre va nous offrir, durant les trois semaines à venir, et sur l'ensemble du pays, des températures nettement supérieures aux moyennes saisonnières. Dès demain il fera 28 degrés à Lille, 30 à Paris, 33 à Toulouse, 35 à Nantes et à Marseille et – record battu – 38 à Strasbourg ! Quelques orages en fin de journée n'empêcheront pas le soleil de briller, et ce temps généreux devrait se maintenir au moins jusqu'à dimanche. Dommage que, pour la plupart d'entre nous, les vacances soient déjà finies...

Identifier les idées et les opinions exprimées, p. 18

⓯ **1.** Que ce soit au cinéma, dans la bande dessinée ou les jeux vidéos, les dinosaures ont toujours autant de succès. Cela s'explique bien sûr par leur allure d'animaux de légende, mais aussi par le mystère qui entoure leur disparition, il y a 65 millions d'années. De nombreuses hypothèses ont été avancées par les scientifiques, mais aucune n'a pu être démontrée à ce jour. La disparition des dinosaures semble cependant liée à des phénomènes naturels qui auraient provoqué un refroidissement brutal du climat. Selon le scénario le plus probable, de gigantesques explosions volcaniques, cent fois plus importantes que celles qui se produisent aujourd'hui, auraient entraîné une accumulation de cendres et de poussières dans l'atmosphère, empêchant les rayons du soleil de parvenir jusqu'à la Terre. Le froid et le manque de lumière auraient causé la mort de très nombreuses plantes, et privé ainsi la plupart des dinosaures de leur nourriture habituelle.
2. Interrogée sur les mesures de restrictions de l'usage de l'eau en vigueur dans 66 départements, l'ancienne ministre de l'Environnement, Dominique Voynet, a affirmé que « la France n'est pas un pays qui manque d'eau ». « C'est un pays tempéré qui a des ressources très abondantes, a-t-elle ajouté, mais qui gère très mal ses ressources et qui est très peu attentive à la qualité de l'eau qui est fournie ». Selon Dominique Voynet, on doit à la fois « mieux gérer l'eau, de façon plus raisonnable, notamment dans le domaine de l'agriculture, mais l'on doit aussi peut-être revenir à des comportements simples en matière d'eau ». Pour la sénatrice de Seine-Saint-Denis, il serait par exemple « tout à fait essentiel » de « boire l'eau du robinet ».

⓰ Sans doute avez-vous déjà songé à un animal pour votre enfant. Bien sûr, les animaux de compagnie sont d'abord des compagnons de jeu, mais leur rôle auprès des jeunes enfants va bien plus loin puisqu'ils favorisent leur développement social et personnel. En effet, des études anglo-saxonnes montrent que s'occuper d'un chien ou d'un chat augmente l'estime de soi : votre enfant se sent responsable, capable de s'occuper d'un être vivant en lui donnant à boire et à manger. C'est aussi l'occasion, pour vous et votre tout-petit, de discuter ensemble des tâches à accomplir, de ce qui est permis et de ce qui ne l'est pas : il apprend ainsi qu'un chien ne doit pas mordre ni se croire tout permis dans la maison. Enfin, le fait de connaître un univers différent de celui des hommes le rend plus curieux des autres.

D'après http://www.famili.fr

⓱ **1.** Vous venez d'entendre la réaction du député-maire à l'issue du premier tour des élections – une réaction que l'on peut juger étonnante, et même choquante, compte tenu de la situation.
2. Au troisième tour du tournoi de tennis de Washington, le Français Arnaud Clément a battu le Luxembourgeois Gilles Muller, en 4-6, 6-3, 6-4.
3. Le débat de ce soir sera précédé de la diffusion du superbe film de Luchino Visconti, *Le Crépuscule des dieux*.
4. Jeanne Lamy retrouvait hier soir le public français au théâtre de Bobigny. La salle était comble, mais la chanteuse est apparue en petite forme, bien loin des prestations auxquelles elle nous avait habitués.
5. Le jury du festival de Cannes a décerné hier la Palme d'Or au film *Le Fils* des frères Dardenne.
6. La totalité des bénéfices perçus par l'entreprise suite à cette opération sera reversée aux associations de lutte contre le cancer – une initiative qui devient rare de nos jours et qui mérite d'être saluée.

⓲ **1.** Quel est le prix à payer lorsqu'on est une vedette ? Que devient-on lorsqu'on n'occupe plus le devant de la scène ? Difficile de s'intéresser à ces questions que l'on a entendues cent fois, et à ces ex-célébrités qui viennent raconter leur expérience à la présentatrice. On s'ennuie ferme.
2. La chaîne Odyssée rediffuse « La vie privée des plantes », une série documentaire pleine d'images à couper le souffle mais aussi de commentaires d'une rare intelligence. À ne surtout pas manquer, même si on l'a déjà vue.
3. Incroyable : en 2005, il resterait encore des informations inédites sur Madonna ou Michael Jackson ! C'est du moins ce qu'affirme le sommaire de cette émission. Comme quoi la télé a encore des choses à nous apprendre.
4. Qui de ces demoiselles va épouser le fils à papa prétentieux et bourré d'argent ? Il faut voir cette émission pour découvrir ce que la télé-réalité peut produire de plus bête et de plus vulgaire.
5. Trois scientifiques de haut niveau et un cinéaste se sont réunis pour nous expliquer l'histoire de la Terre. C'est admirablement bien conçu, tout simplement passionnant.

⓳ Courrier électronique, répondeur, téléphone portable... Notre société ne parle que de communication, et pourtant, jamais nous ne nous sommes aussi peu parlés... C'est le thème de la comédie

La Touche étoile, que met en scène Gilles Dyrek au Café de la Gare. Une pièce servie par des comédiens étonnants, une galerie de personnages plus drôles les uns que les autres, et pourtant tellement vraisemblables, comme ce couple très amoureux mais qui ne se parle plus qu'au téléphone, ou ce drogué du portable qui suit une cure de désintoxication. Si vous n'avez pas vu ce spectacle au Lucernaire l'an dernier, ne ratez pas cette nouvelle occasion. *La Touche étoile* se joue tous les mardi et vendredi à 21 h 50, prix des places de 15 à 20 euros.

Vers l'épreuve, p. 20

❶ L'heure du départ en vacances approche, et vous n'avez encore trouvé personne pour s'occuper, pendant votre absence, de votre chien, de vos deux chats siamois, de vos tortues ou de votre perroquet... Pas de panique !
Il existe aujourd'hui en France de nombreuses sociétés spécialisées dans la garde des animaux domestiques. Différentes formules sont possibles :
– la pension, qui accueille un nombre variable d'animaux, dans des boxes individuels fermés ;
– la visite à domicile : vous laissez les clefs de votre appartement à la société qui s'engage à assurer une ou plusieurs visites quotidiennes pour nourrir votre animal, jouer avec lui ou le promener ;
– et enfin la famille d'accueil : votre animal est alors placé chez des particuliers qui s'occuperont de lui comme si c'était le leur.
Les tarifs sont assez variables et, dans tous les cas, il est préférable d'effectuer vos réservations au moins deux mois à l'avance, surtout si vous habitez en région parisienne ou dans une grande ville.
Pour plus d'informations, consultez le site dogradio.com.

❷ Quoiqu'en disent médecins et diététiciens, manger des fruits n'est pas toujours bon pour la santé... Un habitant de Givet, dans les Ardennes, vient en effet de se retrouver à l'hôpital pour avoir mangé... des pommes. Il faut dire que ce retraité de 65 ans n'y était pas allé avec le dos de la cuiller, car il avait avalé, en cinq jours, 43 kilogrammes de pommes ! Il ne s'agit cependant pas, comme on pourrait le croire, d'un régime mal interprété, ni d'une tentative de suicide d'un nouveau genre, non, le but de ce brave homme était simplement de voir son nom inscrit dans le célèbre livre Guinness des records, qui en contient bien d'autres tout aussi inutiles et farfelus. On est cependant loin du compte, car pour battre le précédent record mondial, il lui aurait fallu avaler 87 kilogrammes de pommes, soit le double de son score actuel. Un exploit, donc, qui ne lui rapportera rien, et qui coûte cher à la sécurité sociale, car l'homme, victime d'une indigestion, a été hospitalisé dans un état jugé sérieux. Ses jours ne sont cependant pas en danger.

❸ Destination Madère
Nous avons déjà eu l'occasion d'évoquer dans cette chronique cette superbe île portugaise, mais si j'attire à nouveau votre attention sur ce morceau de terre qui semble surgir de l'océan Atlantique au large des côtes marocaines, c'est à cause du printemps. En effet, Madère, surnommée l'île aux fleurs, vit à cette saison un véritable festival de couleurs et de senteurs.
Après avoir visité Funchal, la capitale, vous n'aurez que l'embarras du choix pour sélectionner vos itinéraires de randonnée. Cette île est un paradis pour les marcheurs de toute catégorie et de tout âge. Certains choisiront le littoral avec ses côtes escarpées et sa falaise la plus haute d'Europe, d'autres préféreront l'intérieur. Ils y trouveront la plus vieille forêt d'Europe sur 450 km², ainsi que la plus grande forêt de lauriers du monde, avec pas moins de 1 360 espèces. La route 204 qui traverse le plateau central provoque presque à coup sûr l'étonnement des randonneurs. L'hiver, elle est dans les nuages du fait de l'altitude qui approche les 1 000 mètres, et à cette saison, cette vaste étendue recouverte d'herbe rase accueille moutons et vaches. On y obtient surtout des panoramas somptueux sur les sommets de l'île qui culminent à 1 800 mètres et sur les deux versants jusqu'à l'océan.
En s'enfonçant un peu dans les vallées, on marche sous de véritables frondaisons de lauriers et de bruyères géantes aux dimensions incroyables. Encore plus étonnant, du muguet géant qui atteint sept mètres de haut. Il fleurit de juillet à septembre et tout le plateau en est alors parfumé.
Madère n'est pas une destination balnéaire mais bel et bien une splendide terre de randonnée pour les amateurs de nature exubérante. Plusieurs voyagistes la programment ; j'ai trouvé des formules pour une semaine à partir de 590 euros par personne.
France-Info, Destination Voyages, 25 avril 2005.

❹ À l'heure où l'homme explore le cosmos, découvre-t-on encore des animaux sur notre bonne vieille Terre ? Aussi curieux que cela puisse paraître, la réponse est oui. Des dizaines d'animaux nouveaux sont encore identifiés chaque année, ce qui ne veut pas dire que ces animaux soient d'apparition récente. En 1986, des scientifiques ont découvert, au large de la Nouvelle-Calédonie, un animal marin de la famille des oursins, qu'ils ont baptisé « échinoderme ». Cet étrange animal, qui semble ne pas avoir évolué depuis des millions d'années, est l'une des espèces vivantes les plus anciennes connues à ce jour – un véritable héritier de la Préhistoire.
En 1994, une nouvelle espèce de dauphin a été repérée près des côtes brésiliennes ; au Vietnam, des naturalistes ont découvert une nouvelle race de chèvre ; en Amazonie, des milliers d'insectes restent encore à découvrir. En fait, il doit exister entre 10 et 80 millions d'espèces animales différentes, et nous n'en connaissons aujourd'hui qu'un million quatre.

❺ Vous aimez voyager, vous aimez prendre des photos...
Participez à notre grand jeu de l'été sur Radio-loisirs : le jeu de la plus belle photo de vacances. Attention, il ne s'agit pas de photographier la tour Eiffel ni votre petite famille à la plage, mais de nous faire rêver avec des images lointaines et insolites !
La règle est simple : vous choisissez parmi vos photos de voyage celle que vous considérez comme la plus réussie et la plus originale – un cadre exotique ou grandiose, une situation surprenante – et vous nous l'adressez avant le 21 août dernier délai à Radio-loisirs, 11 rue de Fleury, 75017 Paris, ou sur internet au www.radioloisirs.com.
N'oubliez pas d'indiquer votre nom, votre adresse, la date de la photographie, le lieu où elle a été prise, ainsi que l'appareil que vous avez utilisé.
La plus belle photo gagne un voyage de quinze jours pour deux personnes en Islande, le deuxième prix est un appareil photo numérique Sushiba, et le troisième, un abonnement d'un an à la revue « Pays de rêve ». Alors, n'hésitez plus, et soyez nombreux à participer !

❻ Vous ne pouvez pas conduire seul(e) une voiture avant d'avoir votre permis de conduire, un permis que vous ne pouvez passer qu'à l'âge de 18 ans. Il existe toutefois une formule d'apprentissage très intéressante, la conduite accompagnée. Cela consiste, à partir de 16 ans, à suivre des cours théoriques dans une auto-école, afin de se préparer à l'examen du code de la route, et des cours pratiques de conduite, toujours dans ce même établissement. Le principe consiste ensuite à étaler l'apprentissage jusqu'à l'obtention du permis de conduire, en conduisant vous-même aux côtés d'un adulte accompagnateur, qui quant à lui a au moins 28 ans d'âge et 3 ans de permis. C'est bien souvent l'un de vos parents, mais ça peut être un grand frère, un oncle, ou un ami de la famille car il n'y a aucune obligation de parenté. Cette formule est un véritable apprentissage car en tant que conducteur novice vous allez devoir parcourir un minimum de 3000 km, en mariant conduite de jour et conduite de nuit, ville et campagne, pluie et beau temps. Des points sont régulièrement effectués en auto-école pour vérifier le respect de ces dispositions. Cette formule a un inconvénient aux yeux des parents : elle leur coûte très cher, beaucoup plus cher qu'un permis normal, la dépense entraînée s'étalant au moins sur deux ans. Elle a cependant des avantages : vous aurez beaucoup plus de chance d'obtenir votre permis de conduire du premier coup (80 % de réussite contre 50 % en filière classique), vous maîtriserez beaucoup mieux la conduite en ayant une réelle expérience et vous ne devrez limiter ensuite votre vitesse de conducteur apprenti (le fameux « A » sur l'arrière de la voiture) que durant deux ans, contre trois normalement. Enfin, et surtout, la conduite accompagnée débouche chez les jeunes sur deux fois moins d'accidents !

France-Info, Le droit et vous – spécial jeunes, Michel Ravelet, 2 avril 2005.

COMPRENDRE UNE SITUATION DE COMMUNICATION, p. 23

De quel genre de document s'agit-il ?, p. 23

1 **1.** Allô, Jacques ? C'est Nathalie... Décidément, tu n'es jamais là, ça fait une semaine que j'essaie de te joindre. Si tu rentres avant ce soir, peux-tu m'appeler chez moi ? C'est relativement urgent. Merci et à bientôt j'espère.
2. – Bonjour madame, est-ce que vous auriez le temps de répondre à quelques questions ?
– Heu... C'est à quel sujet ?
– C'est sur l'ouverture du nouveau centre commercial, et l'opinion des consommateurs.
– Bon, d'accord, si ce n'est pas trop long, parce que je suis un peu pressée...
3. Suite à la découverte d'un colis suspect, le trafic est interrompu sur la ligne 4. Nous invitons tous les passagers à emprunter les correspondances.
4. – Tu viens souvent manger ici ?
– Oui, c'est à deux pas du travail, et le menu n'est pas très cher.
5. Allô, Sylvie ? C'est Pierre. Je ne te dérange pas ? ... Ah... D'accord... Non, non je ne veux pas te retarder. Si tu préfères, je te rappelle dans la soirée. Tu seras là ?... Vers 19 h 00 ? ... Pas de problème... Mais non, je t'en prie, je comprends très bien... Alors à ce soir, je t'embrasse.

Qui parle à qui ?, p. 24

2 **1.** – C'est à cette heure-ci que tu rentres ? Je t'avais dit huit heures, dernier délai.
– Ce n'est pas ma faute, c'est mon vélo, j'ai crevé et j'ai dû changer la roue.
2. – Ça fait drôlement plaisir de se retrouver, après tant d'années ! Je trouve que tu n'as pas changé.
– Toi non plus, on dirait même que tu as rajeuni – ça te réussit, la vie à l'étranger !
3. – Je souhaiterais prendre mes congés du 20 au 31 août, si vous n'y voyez pas d'inconvénient.
– A priori non, mais je voudrais que nous fassions d'abord le point sur vos dossiers en cours.
4. – Excusez-moi, vous connaissez un peu le quartier ? Je cherche la rue Charles Nodier.
– Charles Nodier ? Euh, non, ça ne me dit rien, mais vous avez un plan de la ville sur le panneau là-bas, à côté de l'arrêt de bus.
5. – Dis donc, Jean-Luc, je ne serai pas là lundi, pour le cours d'histoire romaine, ça t'ennuierait de me passer tes notes ?
– D'accord, mais quand même, tu exagères. Ça fait combien de cours que tu manques depuis le début de l'année ?
6. – Tu ne viens pas au cocktail pour le départ en retraite de Jean-Pierre ? C'est à 18 h 00.
– Flûte, j'avais oublié. Mais là, tout de suite, vraiment je ne peux pas, j'ai cette commande à traiter en urgence... Tu pourras m'excuser auprès de lui ?

3 **1.** Les deux sculptures en bronze que vous voyez de part et d'autre de la cheminée ne sont pas d'origine. Elles ont été rajoutées au début du XVIIIe siècle.
2. Non, avant le 15 novembre, c'est impossible, M. Leroy sera en déplacement à l'étranger. Je peux vous proposer un rendez-vous le mardi 19 à 14 h 00, si cela vous convient.
3. Excès de vitesse, franchissement de ligne blanche et insulte à un agent dans l'exercice de ses fonctions – ça va vous coûter cher !
4. Comme plat du jour, nous avons des filets de dorade à la provençale ; si vous aimez le poisson, je vous le conseille.
5. Je veux bien vous renouveler votre traitement pour six mois, mais cela ne servira pas à grand-chose si vous n'arrêtez pas de fumer et si vous ne faites pas un peu de sport.
6. Bonjour M. Lécuyer, je voulais vous dire que votre Peugeot 206 est prête, et que vous pouvez venir la chercher dès aujourd'hui, à partir de 14 h 00.
7. Je vais vous rendre vos interrogations écrites. Je dois vous dire que, dans l'ensemble, ce n'est pas très brillant...

4 **1.** Vous êtes absolument certaine de ce que vous dites ?
2. Je sais bien que tu ne l'aimes pas, mais essaie d'être un peu plus aimable avec lui.
3. Donc, ta femme et toi, vous travaillez dans le même bureau ?
4. Je regrette que vous partiez. Vous êtes la secrétaire la plus efficace que j'aie jamais eue.
5. C'est étonnant ce que vous ressemblez à votre père !
6. Ça, c'est une bonne nouvelle, tu dois être fou de joie !
7. Tu n'as pas changé d'avis, tu veux toujours être pharmacienne ?
8. Tu es trop patient avec lui. À ta place, je lui aurais déjà dit ce que je pense.
9. Écoute, sois raisonnable, tu n'as pas à te sentir responsable de tout !
10. Je comprends que tu sois furieuse, mais il ne l'a peut-être pas fait exprès.

5 **1.** Bonjour, docteur Martin, c'est Solange. C'est juste pour vous dire que je vais mieux et que je reprendrai le travail demain, comme prévu. J'espère que vous n'avez pas de problèmes avec les rendez-vous cette semaine. À demain matin, donc.
2. Je sais bien que tu n'as pas le temps de répondre, mais tu te souviens peut-être : aujourd'hui c'était les résultats de mon examen de solfège au conservatoire. Alors, j'ai réussi, avec mention très bien. J'espère que tu es fier de moi ! Bisous et à ce soir.
3. Docteur Martin, c'est madame Leroy, je m'excuse de vous déranger, mais c'est à propos du nouveau médicament que vous m'avez prescrit ; depuis que je le prends, je ne dors plus, et en plus j'ai des maux de tête terribles. Je voudrais savoir si je dois vraiment continuer...
4. Alors Jean-Charles, toujours autant de travail ? Ça fait longtemps qu'on ne s'est pas vus et j'ai plein de choses à te raconter. Est-ce que tu auras quand même un petit moment pour prendre un café et bavarder un peu un de ces jours ? Appelle-moi quand tu veux. Je t'embrasse. Ah oui, au fait, c'est Cécile, tu m'avais reconnue ?
5. Oui, bonjour, ici le docteur Duval, du laboratoire Mercier. C'est au sujet des examens que vous avez prescrits pour monsieur Lapouge. Je voudrais savoir s'il faut faire aussi le dosage du magnésium intracellulaire, ou seulement du magnésium sanguin. Pouvez-vous me laisser un message au 06 43 12 27 29 ? Merci d'avance.
6. Allô, chéri ? Si tu as une minute entre deux patients, tu pourras me rappeler à la maison ? Il y a un petit problème avec nos billets d'avion pour les vacances, et je voudrais avoir ton avis avant de recontacter l'agence.

6 – Dis, Paul, tu ne voudrais pas me prêter dix euros ? C'est pour aller au cinéma avec les copains.
– Encore ? Dis donc, Fabienne, tu ne crois pas que tu ferais mieux de travailler un peu ? Je te rappelle que tu passes le bac dans un mois. Moi, quand j'avais ton âge...
– Oh, arrête. Ce n'est pas parce que tu as eu ton bac du premier coup que tu vas me faire la leçon. Alors, tu me les prêtes ces dix euros ?
– Sûrement pas. Tu n'as qu'à demander à papa, tu verras bien ce qu'il te dira.

Dans quelles circonstances ?, p. 25

7 **1.** – Quelle lumière, quel silence ! Tu sens comme l'air est pur ?
– Tu parles, cinq heures de marche pour voir de la neige, j'aurais mieux fait de rester couché !
2. – Tu te rends compte ? Plus de 2000 ans, et ça tient encore debout !
– Ils savaient travailler à l'époque, et pourtant, ils n'avaient pas les moyens d'aujourd'hui.
3. – Finalement, de près, c'est un peu décevant.
– Oui, je me demande pourquoi c'est le monument le plus célèbre de Paris.
4. – 45 minutes pour la porte de Versailles, ce n'est pas possible !
– Je t'avais bien dit qu'il ne fallait pas prendre la voiture. En métro, on serait déjà arrivés.
5. – Ne fais pas cette tête-là ! C'est un bateau solide, on ne va pas couler comme ça...
– Je n'ai pas peur, j'ai mal au cœur...
6. – Tu crois vraiment qu'on va retrouver Jean et Éliane là-dedans ?
– Tu as raison, ce n'était peut-être pas une bonne idée de se donner rendez-vous ici.

8 **1.** Voie E, le TGV n° 632 à destination de Marseille va partir. Attention à la fermeture des portes.
2. Bonjour, pour savoir comment téléphoner partout en Europe pour moins de 3 centimes d'euro la minute, restez en ligne après la consultation de votre compte utilisateur.
3. Nous allons procéder au décollage. Veuillez vérifier que votre ceinture est attachée, et éteindre vos téléphones portables, qui sont susceptibles de perturber les appareils de contrôle électroniques.
4. Le petit Kevin attend ses parents à l'accueil, au rez-de-chaussée. Je répète, le petit Kevin attend ses parents à l'accueil, au rez-de-chaussée.
5. Bonjour, vous êtes bien chez Gilles et Isabelle. Merci de nous laisser vos coordonnées, et nous vous rappellerons dès notre retour.
6. France-Info, il est 9 h 55. Dans cinq minutes, le journal avec René Carnot.

9 **1.** J'espère qu'on va trouver un restaurant encore ouvert. Ici, tout ferme à neuf heures.
2. Enfin, vous voilà ! J'étais vraiment inquiète. Je vous attendais pour dîner et il est bientôt 1 h 00.
3. Allez, debout, le soleil est déjà levé ! Il faut marcher pendant qu'il fait encore frais.
4. Je suis content de te voir. Ça faisait longtemps qu'on n'avait pas déjeuné ensemble.
5. Radio-Périgord, il est 16 h 00. Dans quelques minutes, les premiers résultats des élections cantonales.
6. Qu'est-ce qui t'arrive, tu es tombé du lit ? D'habitude, tu n'arrives jamais si tôt au bureau.

10 **1.** Il faudrait que tu te décides à entrer dans la vie active, tu ne vas pas rester étudiant toute ta vie.
2. Eh bien voilà, la famille s'agrandit ! J'espère que ce petit-là sera aussi brillant que son père.
3. Ça te ferait du bien de prendre l'air. Tu veux qu'on aille faire un tour au parc ? Je vais te tenir le bras et on ne marchera pas trop vite.
4. Tu en fais une tête ! On dirait que ça ne te fait pas plaisir d'avoir 40 ans.
5. Arrête de t'angoisser. Bien sûr, c'est un cap difficile à passer, mais dynamique comme tu es, tu vas trouver des milliers de choses à faire.
6. Félicitations, c'est rare de l'avoir du premier coup. J'espère quand même que tu seras prudent sur les routes.
7. Tu as fait le bon choix, elle est vraiment charmante !

De quoi ou de qui parle-t-on ?, p. 26

11 **1.** À votre place, j'hésiterais à lui faire confiance – ce n'est pas une personne sérieuse.
2. C'est une artiste exceptionnelle et qui mérite d'être encouragée.
3. Je n'ai jamais vu quelqu'un d'aussi grossier. D'ailleurs, je ne lui parle même plus.
4. Je ne suis pas sûre de l'avoir prévenu(e). Tu peux l'appeler pour vérifier ?
5. Avec un caractère pareil, il vaut mieux ne pas l'avoir comme ennemi(e) !
6. Pour quelqu'un qui sort de l'hôpital, je la trouve plutôt en forme.
7. Vous lui avez dit cela ? Et vous pensez vraiment qu'elle vous a cru ?
8. Avec ce régime, il a perdu ses kilos superflus en une semaine.

⓬ **1.** Ils ne passent qu'un jour à Paris. Je doute qu'ils aient le temps de venir nous voir.
2. J'ai déjà posé la question trois fois, mais il(s) refuse(nt) de me répondre.
3. Il n'habite plus à Paris. Il vient d'acheter une maison près de Melun.
4. Je ne crois pas qu'il(s) soi(en)t sorti(s) très convaincu(s) de cette réunion…
5. Ils vivent dans un appartement de 600 m², tu te rends compte !
6. Je ne savais pas qu'il avait dix enfants.
7. Il faut absolument qu'ils nous donnent leur réponse avant mercredi.
8. Si tu poses la question poliment, ils ne peuvent pas refuser de te répondre.
9. Est-ce que tu sais s'il sera présent à la réunion jeudi ?

⓭ **1.** – Voilà le métier que j'aurais dû faire…
– Toi ? Tu te vois te lever à 5 h 00 pour nourrir les bêtes et travailler aux champs ?
2. – C'est une photo de mon grand-père.
– Il était militaire ?
– Non pas du tout, musicien. Mais il a dû faire la guerre de 14-18.
3. – Il est vraiment beau sur cette photo !
– Oui, il a un regard presque humain.
4. – Le deuxième à gauche, c'est moi. Tu m'aurais reconnu ?
– Non, pas vraiment. À dire vrai… je n'aurais jamais cru que tu avais fait du sport dans ta jeunesse.
5. – Elle n'est pas trop froide ?
– Non, délicieuse. Allez, laisse tomber ton livre et viens me rejoindre.
6. – Comme vous avez l'air heureux. C'est tellement émouvant !
– En fait, ce n'est pas un très bon souvenir. Il faisait affreusement chaud, mon costume était trop serré, Marie n'était pas contente de sa robe, et nos parents n'arrêtaient pas de se disputer.

⓮ **1.** Non, je n'ai pas peur de la vitesse, je te signale seulement qu'il y a des radars partout sur cette route.
2. Ah ! ben flûte alors, comment est-ce qu'on va faire griller nos saucisses ?
3. Ça ne vous gêne pas trop d'allumer votre cigarette juste devant ce panneau ?
4. Ça fait dix ans que je passe ici deux fois par jour, et je n'en ai jamais vu traverser un seul.

⓯ **1.** – Je n'y connais pas grand-chose en musique, mais il y a un instrument qui fait un drôle de son.
– Ce n'est pas un instrument, c'est toi qui as oublié d'éteindre ton portable.
2. – Oh, celle-là était superbe. Tu as vu ces couleurs ?
– Oui, c'est très beau, mais ça me fait toujours un peu peur. Ça ne risque pas de mettre le feu en retombant ?
3. – On a vu passer au moins 300 voitures, et pas une qui se soit arrêtée.
– Si tu avais fait réviser la tienne avant de partir, on n'en serait pas là.
4. – Vous vendez ça comme animal de compagnie ? Ce n'est pas dangereux ?
– Pas du tout, monsieur. Il est très calme, et il ne mange que des souris.
5. – Vous savez que votre passeport est périmé dans trois mois ?
– Ah non, je n'ai pas fait attention, ça pose un problème ?
– Pour ce voyage, non, mais il faudra penser à le faire renouveler quand vous rentrerez.
6. – Allez, encore un petit effort, plus qu'un kilomètre et on arrive.
– Je sais, c'est la cinquième fois que tu dis ça…

⓰ **1.** Bonjour madame Lavergne, ici la société Matexco. Vous nous avez commandé des meubles de cuisine le 27 février dernier, et nous avions fixé un rendez-vous pour la livraison aujourd'hui 14 mars à 11 h 30. Nous sommes passés chez vous comme convenu, mais vous étiez absente. Si vous êtes de retour avant 13 h 00, merci de nous rappeler dès que possible au 06 42 06 37 39, nous sommes encore dans votre quartier et nous pouvons donc vous livrer votre commande aujourd'hui. Sinon, vous devrez rappeler le magasin pour fixer un autre rendez-vous, ce qui ne sera pas possible avant 10 jours. Merci et à bientôt.
2. Allô, Paul…, c'est Nathalie… J'espérais que tu serais chez toi, mais bon, tant pis. Je voulais te dire que je ne viendrai pas à la soirée de Gérard ce soir. Tu sais que je n'aime pas quand il y a trop de monde, mais bon, ce n'est pas ça. En fait, il y a quelqu'un que je n'ai pas envie de rencontrer, c'est tout. Je pense que tu vois de qui je parle. Tu m'excuseras auprès de Gérard et Françoise, je sais qu'ils se sont donné beaucoup de mal. N'essaie pas de me joindre, je pars trois jours en Italie pour me changer les idées. Merci de ton aide, je t'embrasse.
3. Allô, Valérie ? C'est Jacques. … Où je suis ? Mais, à la gare. Il y a une heure que je t'attends. Tu devais venir me chercher … Mais bien sûr que si, c'était aujourd'hui … Non, je t'ai bien dit le 26, pas le 27. … Comment ? … Oui, eh bien justement, mercredi, c'est aujourd'hui. … Bon, bon, bon, ne t'en fais pas, ce n'est pas grave. Dis-moi seulement comment je fais pour aller chez toi, c'est la première fois que je viens à Paris, tu sais bien. … Non, avec mes bagages, le métro ça ne va pas être pratique, il n'y a pas un bus ? … Le 38 ? … Et je descends à quelle station ? … D'accord, j'arrive. … Pardon ? Le code ? Quel code ? … Ah, pour entrer dans l'immeuble, non, tu ne me l'as pas donné. … Attends, je note … 14B39, c'est bien ça ? … Ok, alors à tout de suite.

Identifier les attitudes, les sentiments, les opinions exprimés, p. 28

⓱ **1.** Non, je te l'ai déjà dit, je n'ai jamais entendu parler de cette histoire !
2. Tu parles d'une soirée ! Le repas était nul et tout le monde faisait la gueule.
3. N'ayant pas reçu de réponse, je me permets de vous solliciter à nouveau.
4. Non mais vous êtes pas bien ? Fichez-moi la paix ou j'appelle les flics !
5. La rue Lefranc de Pompignan ? Non, je ne vois vraiment pas où c'est, désolée.
6. Dans ces circonstances éprouvantes, je voudrais vous témoigner ma plus profonde sympathie.
7. Ça y est, tu as trouvé un nouveau boulot ? C'est super, on va arroser ça !
8. Veuillez avoir l'obligeance de vous asseoir et de patienter quelques minutes.
9. Le prochain train est à dix heures, si tu te dépêches, tu as une chance de l'avoir.

10. T'as vu comment t'es garé? Si les flics passent, on est bons!
11. Si je comprends bien, vous êtes venu me demander une augmentation...
12. Je vous saurais gré de ne plus m'importuner avec vos questions.

18 **1.** Il croit vraiment qu'il aura terminé dans deux jours?
2. Elle a réussi son concours, et elle ne nous l'a pas dit?!
3. Il leur a promis qu'il les paierait le lendemain, et ils l'ont cru.
4. Avant de partir en vacances, vous me laisserez vos coordonnées!
5. En cas de problème, tu peux m'appeler sur mon portable?
6. Tu te débrouilleras pour être à l'heure, cette fois!

19 **1.** Bonjour monsieur Robin, je peux me permettre de vous déranger quelques minutes?
2. Vous pouvez vous dépêcher un peu, j'ai du monde qui m'attend.
3. Est-ce que vous pourriez reculer de quelques mètres, pour que je puisse passer?
4. Non, mais vous vous prenez pour qui? Je vous préviens que ma patience a des limites.
5. Je vous prie de m'excuser, mais je suis un peu pressée.
6. Ça suffit comme ça. Tu prends tes affaires et tu sors de chez moi. Et vite!
7. Ah, c'est vous le nouveau locataire du quatrième?
8. Je suis désolé, mais je n'ai aucun moyen de vous répondre.

20 **1.** Patiente encore un peu, tu risques de tout gâcher en voulant aller trop vite.
2. Est-ce que ça te dirait d'aller voir un film ce soir?
3. Tu vas immédiatement voir ta sœur, et tu lui fais des excuses.
4. Tu ferais mieux d'attendre jeudi pour partir, il y aura moins de monde sur les routes.
5. Et si on appelait Sophie pour qu'elle nous donne son avis?
6. En cas de refus de votre part, nous prendrions les mesures qui s'imposent.
7. Pas question que tu conduises dans l'état où tu es!
8. Tel que je le connais, il serait bien capable d'avoir oublié.

21 **1.** Bien sûr que non, je ne suis pas fâché, j'aurais fait exactement pareil à ta place.
2. Je me demande ce qui me retient de vous mettre mon poing dans la figure!
3. Et il aurait pu faire cela en plein jour sans que personne s'en aperçoive?
4. J'espérais que tu me soutiendrais, mais je dois bien admettre que je me suis trompé.
5. Alors, on les ouvre ces cadeaux? Je n'y tiens plus!
6. Un voyage en Terre de Feu? Bien sûr que je suis partant, ça fait des années que j'en rêve!
7. Elle t'a appelé pour te féliciter? Elle? Qu'est-ce qui lui prend, ça ne lui ressemble pas.
8. Je me demande si nous avons bien fait de tout lui raconter.

22 **1.** C'est vrai que je n'étais pas très chaud pour aller voir ça, mais finalement j'ai passé une excellente soirée.
2. C'est bien la première fois que je m'endors au cinéma! Je ne comprends pas comment les critiques ont pu dire autant de bien de ce film.
3. D'accord, c'est un peu long, et il y a trop d'invraisemblances dans le scénario. Mais heureusement, il y a Tom Cruise!
4. Sensationnel! J'étais scotchée à mon fauteuil du début à la fin.
5. Franchement, payer 8 euros pour voir Tom Cruise jouer les super-héros pendant deux heures, j'aurais mieux fait de louer un DVD.
6. Je ne regrette pas d'y être allé, mais je pense qu'on peut s'en passer. Il y a d'autres films plus essentiels à voir en ce moment.
7. Les décors, la musique, les effets spéciaux – on en a plein la vue. Bien sûr, c'est du cinéma commercial, mais moi j'adore!
8. La première moitié est plutôt réussie et assez prenante, ensuite le scénario s'essouffle et on s'ennuie un peu.

23 **1.** C'était bien que chacun puisse s'exprimer. On n'a pas réglé tous les problèmes, mais au moins on voit un peu mieux où l'on va.
2. Quand je pense qu'on a perdu trois heures pour en revenir au même point que le mois dernier. Et pendant ce temps-là, le travail s'accumule.
3. Moi, je ne regrette pas ma matinée. Les fauteuils étaient très confortables, et on avait une belle vue sur Paris.
4. Enfin une réunion constructive. Il était temps qu'on se concerte pour définir des priorités, au lieu de travailler chacun dans son coin.
5. L'intervention de Dubreuil était remarquable – tant de mots pour ne rien dire, il devrait faire de la politique, ce garçon...
6. On n'a abordé ni la question du budget ni celle des conditions de travail. Je me demande vraiment à quoi ça sert.

Vers l'épreuve, p. 30

1 Tout d'abord, je tiens à vous remercier d'être venus en si grand nombre ce soir, et à remercier le département de français de cette université, qui m'a donné l'opportunité d'intervenir devant vous. Le sujet de cette communication sera, comme vous le savez, les relations entre poésie et peinture dans l'œuvre de Victor Hugo – sujet qui n'est certes pas neuf, mais sur lequel j'espère apporter un éclairage un peu inédit. J'illustrerai mon propos par la projection de quelques diapositives présentant des dessins et gravures non seulement de Hugo lui-même, mais de nombreux peintres contemporains que son œuvre littéraire a inspirés, et dont il s'est lui-même inspiré.

2 Vous n'avez pas de nouveau message.
Pour consulter vos anciens messages, faites le 1. Pour passer d'un message à l'autre, faites le 2. Pour effacer un message en cours de consultation, faites le 6. Pour connaître les autres possibilités offertes par cette messagerie, faites le 9. Pour revenir au sommaire général, appuyez sur la touche étoile.
Vous avez actuellement jusqu'au 11 mars 2005 pour utiliser votre crédit de 4,60 euros, correspondant à 9 minutes 20 secondes de conversation.

3 – Magasin Atoutprix, rayon menuiserie, bonjour.
– Bonjour monsieur, c'est pour un petit renseignement. J'ai commandé il y a trois jours chez vous des étagères et une table basse, mais j'ai oublié de vous demander si vous assuriez également la livraison.
– Ah, si vous n'avez rien précisé lors de votre commande, c'est à vous de venir chercher le matériel. Sinon, vous devez contacter le

service livraison et fixer un rendez-vous avec eux. Mais vous devrez payer un supplément.
– Vous savez de combien à peu près ?
– Normalement, si vous habitez Paris, le forfait livraison est de 65 euros, dans le cas d'une commande inférieure à 200 kg. Au-delà, cela dépend du poids. Mais il y a également des possibilités de réduction si votre commande est supérieure à 1 500 euros. Mais appelez le service livraison, ils vous donneront plus de précisions.
– Vous pouvez me donner leur numéro ?
– Bien sûr, c'est le 01 49 53 27 54.
– Merci bien monsieur, et bonne journée.
– Je vous en prie, bonne journée à vous aussi.

❹ Allô Jean-Paul ? C'est Luc. Qu'est-ce qui se passe ? J'ai appelé deux fois et personne ne répondait. ... Je te réveille ? ... Ça c'est la meilleure ! Tu sais qu'on est le 15 juin et qu'il est 10 h 15 ? ... Oui, eh bien, aujourd'hui, à 11 h 30, c'est le mariage de Robert, et je te rappelle que tu es son témoin, alors ça serait bien que tu sois là ! ... Bon, écoute, ce n'est pas le moment de chercher des excuses, tu t'habilles, tu sautes dans ta voiture et tu arrives, d'accord ? ... Comment ça ta voiture est en panne ? Mais c'est pas possible, tu le fais exprès ! ... Non, je ne peux pas venir te chercher, tu es assez grand pour prendre un taxi. ... Pardon ? ... Non, pas Saint-Georges, Saint-Roc, l'église Saint-Roc, c'est celle qui est en face de la mairie, tu te réveilles oui ou non ? Je t'attends sur les marches. Allez, bouge-toi, sinon tu es capable de te rendormir !

❺ Bonjour ma chérie... Quel dommage que tu ne sois pas là ! Ta mère et moi, on voulait juste te souhaiter un bon anniversaire – ce n'est pas tous les jours qu'on a 30 ans ! Et puis on voulait savoir comment ça s'était passé ton rendez-vous de jeudi ? Est-ce que tu as été engagée ? Ce n'est pas qu'on s'inquiète, on sait que tu t'es toujours débrouillée, mais enfin, on aimerait bien que tu trouves un travail stable. Tu nous tiendras au courant ? Ah, on se demandait aussi si ton frère t'avait téléphoné, depuis qu'il est parti en Australie, on n'a pas eu de nouvelles ; évidemment ce n'est pas facile de tourner un film au milieu du désert, peut-être qu'il n'a pas le téléphone non plus. En tout cas, il doit avoir très chaud là-bas, ce n'est pas comme ici, il y a encore beaucoup de neige, vivement que le printemps arrive ! Allez, ma petite Françoise, on t'embrasse bien fort et on te dit à bientôt.

❻ – Comment ça, tu ne viendras pas ? Tu te rends compte de ce que tu dis ?
– Oui. J'ai bien réfléchi, et je ne changerai pas d'avis.
– Mais enfin, sois un peu raisonnable. C'est ta première exposition dans la capitale, tout Paris sera là, il y aura la presse spécialisée...
– Justement. Je ne me sens pas... J'imagine toutes les questions qu'on va me poser, toutes les critiques derrière mon dos. Et puis je suis un artiste, moi, je n'aime pas la foule, j'ai du mal à parler à des gens que je ne connais pas.
– Il faut te faire à l'idée qu'aujourd'hui tu es célèbre. Tu dois être à la hauteur. Et si tu veux vendre tes tableaux...
– Parce que tu crois que c'est l'argent qui m'intéresse ?

❼ Allô, chéri, c'est moi, je pensais que tu étais déjà rentré... Je voulais te dire que moi je vais être un petit peu en retard, parce que je n'ai plus la voiture, je veux dire, j'ai eu un petit problème et j'ai dû l'emmener au garage. Enfin, c'est le garage qui est venu la chercher parce qu'elle est quand même un peu abîmée. Je l'avais laissée en double file pour aller faire une course, tu sais, dans l'avenue Gambetta, tout le monde fait ça. De toute façon, il n'y a pas de places pour se garer. Bon, il y a un camion qui est passé trop près, les gens ne font jamais attention, donc il a arraché les deux portières du côté gauche, un peu l'arrière aussi, mais je crois que le moteur n'a rien. Enfin, ils te diront ça au garage, leur téléphone c'est le 04 91 39 07 52. D'ailleurs, il faudrait que tu passes vite, parce qu'ils ont besoin des papiers de la voiture, je ne les avais pas pris avec moi. Et puis... est-ce que tu peux aller chercher les enfants à l'école, parce que pour moi, en bus, c'est vraiment trop loin. J'espère que tu n'es pas trop fâché... Bisous et à tout à l'heure.

❽ – Bonjour madame, vous avez une minute ? Juste pour répondre à quelques questions.
– Euh, oui, si c'est vraiment rapide, parce qu'on m'attend...
– Merci. Alors, pouvez-vous nous dire ce que vous pensez des travaux d'aménagement du centre-ville ?
– Vous travaillez pour la mairie ?
– Oui, c'est un petit sondage pour savoir si les habitants sont satisfaits de...
– Ah, oui, eh bien c'est gentil de penser... de s'occuper un peu de ce que pensent les gens, mais franchement, on aurait préféré que vous nous demandiez notre avis avant, parce que maintenant que les travaux sont en cours...
– Ah, alors vous pensez que ces travaux ne sont pas une priorité ?
– Écoutez, je vais vous parler franchement, c'est bien d'élargir les rues, de mettre des arbres et des fontaines partout, ça fait chic, c'est sûr, mais si les impôts locaux continuent à augmenter comme ça tous les ans, moi je vais devoir déménager, parce que je ne peux plus payer, et je ne suis pas la seule. 39 % en deux ans, vous vous rendez compte ? Il faudrait peut-être se souvenir qu'il n'y a pas que des riches qui habitent ici...

Exemple d'épreuve, p. 35

Exercice 1

SOS Écoute fête aujourd'hui ses 20 ans – 20 ans d'écoute et de soutien à tous ceux qui sont confrontés un jour ou l'autre au chômage, à la violence, au racisme ou simplement à la solitude quotidienne. SOS Écoute, c'est 1 500 animateurs bénévoles dans toute la France, c'est un numéro gratuit que l'on peut appeler 24 heures sur 24, lorsque les idées sont trop noires et que l'on n'a personne à qui parler. Mais pour continuer ce travail, SOS Écoute a besoin de vous. Si vous avez un peu de temps libre – 2 ou 3 heures deux fois par semaine –, si vous souhaitez tendre la main à ceux qui en ont besoin, rejoignez notre équipe. Nous vous assurons une formation gratuite et ne vous demandons aucun engagement à long terme. Alors, appelez-nous au 08 53 04 26 27. Nous vous attendons.

Exercice 2

Allô, Julie, c'est moi, Claude. Je t'appelle juste pour te dire que je serai un peu en retard ce soir, pas beaucoup, une petite demi-heure, je t'explique, c'est parce que... Pardon ? ... De quoi je parle ? Mais de ta soirée d'anniversaire, bien sûr. Tu m'as bien dit... Comment ça, pas ce soir ? Tu plaisantes... C'était il y a dix jours ? Attends, là je ne comprends plus, on est bien le 14 avril, non ? ... Bon, et le 14 avril, c'est bien ton anniversaire ? ... Non ? ... Celui de Nathalie ? Pas possible, alors là, j'en reviens pas, comment est-ce que j'ai pu... Pardon? Mais non, qu'est-ce que tu vas imaginer? Je t'assure... Écoute, je comprends que tu ne sois pas contente, mais... Enfin, laisse-moi parler, c'est stupide... Non, ne raccroche pas! ... Eh, mince!

Exercice 3
Les îles ne manquent pas en Indonésie: on en compte plus de 13000. Bali, sans doute l'une des plus connues d'entre elles, est également la plus petite, avec guère plus de 140 kilomètres sur 80. En 20 ans, le tourisme à Bali s'est considérablement développé, des hôtels sont apparus un peu partout, et beaucoup pensent que l'île a perdu de son authenticité, avec des cérémonies traditionnelles devenues des spectacles pour les voyageurs occidentaux. Certains considèrent que l'île n'a plus rien à voir avec le petit paradis qu'elle fut il y a 20 ans. Pourtant, Bali reste une destination de voyage très prisée, et dont l'on revient rarement déçu. Car les magnifiques plages du sud de l'île ne sont pas son seul attrait: venir à Bali, c'est d'abord découvrir une population paisible et accueillante, attachée à sa culture et à ses traditions, et à qui le tourisme n'a pas encore fait perdre son âme, comme on peut malheureusement le déplorer dans d'autres régions du globe.
Les amateurs de paysages somptueux y trouveront aussi leur compte: avec des lacs, des forêts, des rizières, un volcan de plus de 3000 mètres et une lumière superbe à toute heure du jour, la nature à Bali est une fête perpétuelle. L'on n'oubliera pas, bien entendu, les monuments religieux, car qui dit voyage à Bali dit visite des nombreux temples, d'une grande diversité et généralement ouverts aux visiteurs. De nombreuses agences proposent des séjours à Bali, et les tarifs sont souvent intéressants: on peut par exemple trouver un séjour de 10 jours et 7 nuits, avec vol aller-retour inclus et hébergement en pension complète, à partir de 800 euros.
Si vous êtes attiré(e) par Bali, mieux vaut ne pas trop attendre: la saison sèche durant du mois de mai jusqu'au mois d'octobre, c'est donc actuellement le meilleur moment pour s'y rendre.

SUJET D'EXAMEN, p. 106

Vous allez entendre trois documents sonores, correspondant à des situations différentes.
Pour le premier et le deuxième documents, vous aurez:
– 30 secondes pour lire les questions;
– une première écoute, puis 30 secondes de pause pour commencer à répondre aux questions;
– une deuxième écoute, puis 1 minute de pause pour compléter vos réponses.
Répondez aux questions, en cochant la bonne réponse, ou en écrivant l'information demandée.

Exercice 1
– Alors Paul, ton voyage? Comment ça s'est passé?
– Pas mal, sauf la chaleur: il a fait une chaleur étouffante. Plus de 30 degrés pendant toute la durée du voyage, sauf au Chili, où il faisait un peu plus frais.
– Et la nourriture? Vous n'avez pas été malades?
– Juste une fois, mais vraiment rien de grave.
– Mais vous avez visité combien de pays?
– On est partis du Venezuela et on est descendus par l'ouest jusqu'à l'extrême sud du Chili. On a vu cinq pays. Non, pardon, six, si j'inclus l'Argentine où nous avons pris notre avion de retour, mais que nous n'avions pas le temps de visiter.
– Tu as dû être content de rentrer à la maison, après tout ça...
– C'est vrai, Marie et moi nous sommes partis presque neuf semaines. On était bien loin de la réalité française pendant ce temps. Mais on a vu des sites magnifiques, on a rencontré des gens formidables. Même si le voyage a été très fatigant, je repartirais n'importe quand.
– Alors, le prochain voyage, c'est pour quand?
– Oh, pas avant l'été prochain. Mais je partirai sûrement seul car Marie sera en stage. Je pense aller dans le nord de l'Europe. Sans doute en Suède ou en Finlande.
– J'y suis allée l'année dernière. J'y ai passé d'excellentes vacances. Et c'est très dépaysant.

Exercice 2
Les progrès de la science sont parfois extraordinaires, d'autres fois ils sont épouvantables. La nouveauté dont nous allons parler ce matin est difficile à classer. Imaginée par une entreprise installée près de Nice, il s'agit d'un miroir qui reflète votre futur – et il n'est pas magique...
Au départ rien de bien original: une caméra vous filme et vous pouvez contempler votre image sur un écran installé devant vous, comme dans un miroir. Mais l'affaire est loin d'être terminée. Un ensemble de caméras, de capteurs informe un ordinateur de tout ce que vous faites: les longues heures passées à regarder la télévision ou à courir, vos visites du réfrigérateur, vos verres d'alcool; bref, une foule d'informations sur votre hygiène de vie et vos habitudes alimentaires. La machine va donc digérer toutes ces données et les interpréter et, rêve ou cauchemar, elle vous délivre l'image de votre visage, et même de votre corps, tel qu'il sera dans cinq ans. Ce miroir de devin sera prêt dans quelques mois. Son inventeur est persuadé qu'il pourrait aider certaines personnes à corriger leurs mauvaises habitudes. Reste à savoir si beaucoup d'individus auront envie de voir la tête qu'ils auront dans cinq ans...

France-Info, L'info-sciences, « Un miroir qui montre le futur », Bruno Rougier, 17 février 2005.

Exercice 3
Vous allez entendre un document sonore. Vous aurez tout d'abord 1 minute pour lire les questions, puis vous entendrez deux fois l'enregistrement avec une pause de 3 minutes entre les deux écoutes. Après la deuxième écoute, vous aurez encore 2 minutes pour compléter vos réponses.
Répondez aux questions, en cochant la bonne réponse, ou en écrivant l'information demandée.

Plus de cent ans après la ruée vers l'or, le Yukon attire toujours les amateurs de grands espaces et de solitude. Engagé dans un tour du monde depuis quatre ans, Philippe Lansac a fait escale dans le Grand Nord canadien, dans le Yukon, grand comme la France mais où l'on ne compte que 25000 habitants dont 20000 dans la principale ville Whitehorse.
Le Yukon reste la terre de prédilection des chercheurs d'or, même s'ils ne sont plus aussi nombreux qu'à la belle époque, on en compte encore huit ou neuf cents qui vivent correctement. Il y a aussi les trappeurs et les historiens-archéologues. Ceux-là sont à la recherche de souvenirs de l'époque héroïque. La moindre boîte de conserve ou le plus insignifiant ustensile de cuisine devient un véritable trésor très convoité par les collectionneurs.

Philippe Lansac a fait de nombreuses rencontres et ce qui caractérise les habitants du Yukon, c'est leur souci de rester à l'écart du monde :
« ... La plupart des gens qu'il y a dans le Yukon, aujourd'hui, ce sont des gens qui ne sont pas nés là-bas, qui viennent du Sud du Canada, de la frontière américaine, il y a beaucoup de gens qui viennent des États-Unis, et ces gens fuient l'urbanisme, fuient la pollution. Beaucoup d'étudiants qui partent là-haut expérimenter le Grand Nord. Beaucoup d'artistes, des musiciens, des peintres qui viennent chercher quelque chose d'autre et qui disent : surtout continuez à dire qu'il fait très froid là-haut, que c'est extrêmement rude pour y vivre. Comme ça personne ne va venir, on va être tranquilles, on va être pénards. »
Cela dit, dans le Yukon, c'est vrai que la vie est rude. On ne rigole pas avec la nature. Il n'y a pas très longtemps, deux automobilistes sont morts de froid dans leur voiture. Ils s'étaient retrouvés piégés dans une tempête de neige.

France-Info, Les aventuriers, « Sur les pas de London »,
Régis Picart, 19 février 2005.

CORRIGÉS

Compréhension de l'oral, p. 9

COMPRENDRE UN DOCUMENT À CARACTÈRE INFORMATIF, p. 13-19

Identifier la nature et la fonction du document, p. 14

1 Information : **3, 5, 7**. Début d'une interview : **1, 6**. Début d'un reportage : **2, 4**.

2 Information : **1, 3, 4**. Publicité : **2, 5**.

3 1, 3, 5.

Identifier le thème abordé dans le document, p. 14

4 **a)** 8. **b)** 7. **c)** 2. **d)** 1. **e)** 6. **f)** 4. **g)** 3. **h)** 5.

5 **a)** 4. **b)** 3. **c)** 1. **d)** 5. **e)** 2.

6 **Document 1 :** b). **Document 2 :** c).

Identifier des informations précises, p. 15

7 **a)** 1930. **b)** 1939. **c)** 1946. **d)** 1948, 1950, 1968. **e)** 1949. **f)** 1983. **g)** 1946. **h)** 1978. **i)** 1955.

8 Passé : **2, 5, 7**. Présent : **3, 6**. Futur : **1, 4**.

9 Certain : **2, 5**. Probable : **1, 3, 4, 6, 7**.

10 **1. a)** Faux. **b)** Vrai. **c)** Vrai. **d)** Faux. **e)** Faux. **2. a)** Faux. **b)** Vrai. **c)** Faux. **d)** Vrai. **e)** ?. **f)** Faux.

11 Prix, délai de livraison et durée de la garantie de *NetAchat* : 649 euros, 1 semaine, 2 ans ; de *Microrêve* : 660 euros, 2 jours, 1 an ; de *SmartDiscount* : 665 euros, 2 jours, 1 an ; de *Diginet* : 711 euros, 2 jours, 3 ans.

12 **a)** une annonce. **b) Âge du public :** enfants de 3 à 10 ans. **Prix :** gratuit. **Mois :** fin mai à fin septembre. **Jours de la semaine :** mercredi. **Heure :** 14 h 30. **c)** Deux réponses parmi : théâtre, musique, chansons, marionnettes, cirque. **d)** 01 55 64 21 20.

13 **a)** Environnement. **b)** L'Afrique du Sud. **c) 1.** Faux. **2.** Vrai. **3.** Vrai. **4.** *On ne sait pas.* **5.** Faux. **6.** Faux.

14 **a)** à la fin de l'été. **b)** monter. **c)** toute la France. **d)** inhabituelles. **e)** Lille : 28 °C. Marseille : 35 °C. **f)** Strasbourg. **g)** Vrai.

Identifier les idées et les opinions exprimées, p. 18

15 **1. a)** Vrai. **b)** Vrai. **c)** Faux. **d)** ?. **2. a)** Faux. **b)** Vrai. **c)** Vrai. **d)** Vrai.

16 **c)**.

17 Simple présentation des faits : **2, 5**. Appréciation positive : **3, 6**. Appréciation négative : **1, 4**.

18 Enthousiaste : **2, 5**. Critique : **1, 4**. Ironique : **3**.

19 **a)** la présentation d'un spectacle. **b)** moins bien qu'autrefois. **c)** comique. **d) 1.** Vrai. **2.** Vrai. **3.** Faux. **4.** Vrai. **e) Heure du spectacle :** 21 h 50. **Jours de la semaine :** mardi/vendredi. **Prix des places :** 15 à 20 euros.

Vers l'épreuve, p. 20-22

❶ **1.** une information utile pour les propriétaires d'animaux.
2. par des sociétés.
3. a) Nom : pension. **Où l'animal est gardé :** dans un box individuel fermé. **b) Nom :** visite à domicile. **Où l'animal est gardé :** dans l'appartement du propriétaire. **c) Nom :** famille d'accueil. **Où l'animal est gardé :** chez des particuliers.
4. a) *On ne sait pas.* **b)** Vrai. **c)** *On ne sait pas.*

❷ **1.** Faits divers.
2. par sa faute.
3. Qu'avait-il mangé ? **Des pommes.** En quelle quantité ? **43 kg.** En combien de temps ? **5 jours.**
4. il voulait devenir célèbre.
5. beaucoup moins bien.
6. Il est très malade.
7. Ironique.

❸ **1.** Tourisme.
2. Au Portugal.
3. Au printemps.
4. L'île aux fleurs.
5. a) Faux. **b)** Faux. **c)** *On ne sait pas.*
6. Des animaux d'élevage. Les montagnes.
7. 1 800 mètres.
8. Elles sont très grandes.
9. 590 euros minimum.

❹ **1.** La découverte sur Terre d'animaux existants.
2. Dans la mer.
3. existe depuis très longtemps et n'a pas changé.
4. Faux.
5. Des insectes.
6. Au minimum : 10 millions. Au maximum : 80 millions.
7. 1,4 million (un million quatre).

❺ **1.** à tous les auditeurs de la radio.
2. Photos de voyage.
3. Deux adjectifs parmi : lointaines, insolites, originales, exotiques, grandioses, surprenantes.
4. 21 août.
5. Faux.
6. *Son nom, son adresse*, la date de la photo, le lieu de la photo, l'appareil photo utilisé.
7. Islande.
8. Faux.

❻ **1.** Aux jeunes.
2. 18 ans.
3. a) Faux. **b)** Vrai. **c)** Faux.
4. a) 28 ans. **b)** 3 années de permis.
5. avoir conduit dans des lieux et des situations différentes.
6. beaucoup plus cher.
7. 80 %.
8. « Apprenti » : conducteur apprenti (débutant).
9. deux fois moins d'accidents sur les routes.

COMPRENDRE UNE SITUATION DE COMMUNICATION, p. 23-30

De quel genre de document s'agit-il ?, p. 23

1 **Document 1 :** Message sur un répondeur. **Document 2 :** Sondage. **Document 3 :** Annonce. **Document 4 :** Conversation dans un lieu public. **Document 5 :** Conversation téléphonique.

Qui parle à qui ?, p. 24

2 **Dialogue 1 :** Un père et sa fille. **Dialogue 2 :** Deux amis. **Dialogue 3 :** Un patron et une employée. **Dialogue 4 :** Deux personnes qui ne se connaissent pas. **Dialogue 5 :** Deux étudiants. **Dialogue 6 :** Deux collègues de travail.

3 **1** : guide touristique. **2** : secrétaire. **3** : policier. **4** : serveur/serveuse. **5** : médecin. **6** : garagiste. **7** : professeur.

4 **1** : Femme. **2** : *On ne sait pas.* **3** : Homme. **4** : Femme. **5** : *On ne sait pas.* **6** : Homme. **7** : Femme. **8** : Homme. **9** : *On ne sait pas.* **10** : Femme.

5 **Message 1 :** Sa secrétaire. **Message 2 :** Son fils. **Message 3 :** Une patiente. **Message 4 :** Une amie. **Message 5 :** Un collègue. **Message 6 :** Sa femme.

6 **a)** un frère et une sœur. **b)** Vrai.

Dans quelles circonstances ?, p. 25

7 **A** : dialogue 6. **B** : dialogue 5. **C** : dialogue 3. **D** : dialogue 4. **E** : dialogue 1. **F** : dialogue 2.

8 **1** : Dans une gare. **2** : Sur une messagerie vocale. **3** : Dans un avion. **4** : Dans un grand magasin. **5** : Sur un répondeur téléphonique. **6** : À la radio.

9 **1** : Dans la soirée. **2** : En pleine nuit. **3** : Le matin. **4** : En milieu de journée. **5** : L'après-midi. **6** : Le matin.

10 **1** : Université. **2** : Premier enfant. **3** : Vieillesse. **4** : Anniversaire. **5** : Retraite. **6** : Permis de conduire. **7** : Mariage.

De quoi ou de qui parle-t-on ?, p. 26

11 **1** : *On ne sait pas.* **2** : Femme. **3** : *On ne sait pas.* **4** : *On ne sait pas.* **5** : *On ne sait pas.* **6** : Femme. **7** : Femme. **8** : Homme.

12 **1** : Plusieurs personnes. **2** : *On ne sait pas.* **3** : Une seule personne. **4** : *On ne sait pas.* **5** : Plusieurs personnes. **6** : Une seule personne. **7** : Plusieurs personnes. **8** : Plusieurs personnes. **9** : Une seule personne.

13 **A** : dialogue 4. **B** : dialogue 2. **C** : dialogue 5. **D** : dialogue 6. **E** : dialogue 3. **F** : dialogue 1.

14 **1.** C. **2.** D. **3.** A. **4.** B.

15 **A** : dialogue 5. **B** : dialogue 4. **C** : dialogue 6. **D** : dialogue 2. **E** : dialogue 3. **F** : dialogue 1.

16 **1. a) d) f). 2. a) b) e). 3. c) e).**

Identifier les attitudes, les sentiments, les opinions exprimés, p. 28

17 **1** : Registre standard. **2** : Registre familier. **3** : Registre soutenu. **4** : Registre familier. **5** : Registre standard. **6** : Registre soutenu. **7** : Registre familier. **8** : Registre soutenu. **9** : Registre standard. **10** : Registre familier. **11** : Registre standard. **12** : Registre soutenu.

18 **1** : Interrogation. **2** : Interrogation. **3** : Affirmation. **4** : Ordre. **5** : Interrogation. **6** : Ordre.

19 **1** : Polie. **2** : Peu polie. **3** : Polie. **4** : Agressive. **5** : Polie. **6** : Agressive. **7** : Peu polie. **8** : Polie.

⑳ **1** : Conseil. **2** : Proposition. **3** : Ordre/interdiction. **4** : Conseil. **5** : Proposition. **6** : Éventualité. **7** : Ordre/interdiction. **8** : Éventualité.

㉑ **1** : Compréhension. **2** : Colère. **3** : Doute. **4** : Déception. **5** : Déception. **6** : Enthousiasme. **7** : Surprise. **8** : Doute.

㉒ **1** : Beaucoup. **2** : Pas du tout. **3** : Moyennement. **4** : Beaucoup. **5** : Pas du tout. **6** : Moyennement. **7** : Beaucoup. **8** : Moyennement.

㉓ **1** : Positive. **2** : Critique. **3** : Ironique. **4** : Positive. **5** : Ironique. **6** : Critique.

Vers l'épreuve, p. 30-34

❶ **1.** d'une conférence.
2. le début.
3. Vrai.
4. la poésie et la peinture.
5. Faux.
6. d'auteurs différents.

❷ **1.** d'un particulier.
2. Pour effacer le message actuel : **6**. Pour écouter un ancien message : **1**.
Pour passer au message suivant : **2**.
3. 4,60 euros.
4. 9 minutes 20.

❸ **1.** une conversation téléphonique.
2. avoir des informations complémentaires.
3. Faux.
4. doit être demandée par le client.
5. 65 euros, jusqu'à 200 kg de marchandise.
6. Faux.
7. 01 49 53 27 54.

❹ **1.** une conversation téléphonique.
2. il dormait.
3. Robert.
4. sa voiture ne marche pas.
5. de prendre un taxi.
6. sur les marches de l'église.
7. Il est énervé.

❺ **1.** un message sur un répondeur.
2. Un père à sa fille.
3. 30 ans.
4. *On ne sait pas.*
5. En Australie.
6. dans le cinéma.
7. En hiver.

❻ **1.** une discussion amicale.
2. surprise et mécontente.
3. à Paris.
4. Faux.
5. il est timide.
6. C'est un peintre qui aujourd'hui est très connu.
7. Faux.

❼ **1.** un message sur un répondeur téléphonique.
2. À son mari.
3. Elle a provoqué un accident.
4. En ville.
5. Vrai.
6. **a)** Oui. **b)** Non. **c)** *On ne sait pas.*
7. 04 91 39 07 52.
8. Pour donner les papiers de la voiture.

❽ **1.** d'un sondage dans la rue.
2. n'a pas beaucoup de temps, mais veut bien répondre.
3. une partie de la ville.
4. alors que les travaux ont déjà commencé.
5. pense qu'il fallait poser la question plus tôt.
6. Ce n'est pas indispensable et ça coûte cher.
7. Parce que les impôts locaux deviennent trop élevés pour elle.
8. De 39 % en deux ans.
9. Vrai.

Exemple d'épreuve, p. 35

Exercice 1
1. une association de soutien psychologique.
2. 20 ans.
3. 1 500 personnes.
4. Toute personne ayant besoin d'aide.
5. Vrai.
6. de volontaires.
7. **a)** Faux. **b)** *On ne sait pas.* **c)** Faux. **d)** Vrai.

Exercice 2
1. Il discute avec Julie.
2. pour s'excuser d'être en retard.
3. la date du jour ; l'anniversaire de Nathalie.
4. Claude s'est trompé et essaie de s'expliquer.
5. Elle est en colère.
6. brutalement.

Exercice 3
1. touristique. **2.** 13 000. **3.** 140 km sur 80 km **4.** Vrai. **5.** Le tourisme est important mais Bali est restée très agréable. **6.** **a)** Faux. **b)** Vrai. **c)** *On ne sait pas.* **d)** Faux. **7.** Nombreuses et pas trop chères.
8. **Durée du séjour :** 10 jours et 7 nuits. **Prix minimum :** 800 euros, avec le billet d'avion. **9.** dès à présent.

Compréhension des écrits, p. 39

Lire pour s'orienter, p. 42-45

❶ **1.** Le nom de la rubrique et les numéros de téléphone et de télécopie ainsi, avec plus d'attention, que d'autres éléments en caractères gras.
2. Le nom de la rubrique (Le carnet du jour) : pour permettre au lecteur de trouver cette annonce plus facilement dans la page. Les numéros de téléphone et de télécopie : pour éviter au lecteur de chercher l'information (le moyen de contacter le journal).
3. Cinq : téléphone, télécopie, e-mail, à l'adresse du journal, par correspondance.
4. 20,50 € x 10 = 205 € (le mode de calcul ou le résultat final constituent en soi la bonne réponse).
5. Sept jours.

6. Dans le journal et sur Internet.
À noter : comparer les prix, les prestations offertes, avec le même type d'annonces dans un ou plusieurs journaux locaux.

❷ 1. Informatif.
2. Journalistique.
3. Critique.
4. Donner son temps pour la nature.
5. Ait peu de pages.
6. Des adresses. Des jeux. Des alertes sur ce qui menace l'environnement.
7. *Agir pour la protection de la nature.*

❸ 1. D'un récit autobiographique.
2. La survie en mer.
3. Âge : *56 ans.* Métier : *pêcheur.* Lieu de résidence : *Tahiti.* Situation familiale : *famille.*
4. Le 15 mars 2002.
5. Le moteur de son bateau est tombé en panne.
6. Il n'a pas du tout eu peur.
7. Utiliser les courants pour qu'ils mènent son bateau.
8. À Robinson (Crusoe).
9. Pêche, boit, mange, prie.
10. Un cargo.
11. Sa forme, sa résistance physique.

❹ a) *Si loin du monde.* **b)** *Agir pour la protection de la nature.* **c)** *Si loin du monde.* **d)** *Agir pour la protection de la nature.* **e)** *Si loin du monde.* **f)** *Si loin du monde.* **g)** *Agir pour la protection de la nature.*

Vers l'épreuve, p. 46-52

❶ Vendredi 22 juillet ; 21 h 00 ; France-Inter ; Les Vieilles Charrues.
Samedi 23 juillet ; 11 h 49 ou 14 h 19 ; France-Info ; La Saga des robots.
Dimanche 24 juillet ; 13 h 15 ; Europe 1 ; Paroles d'accusés.
Dimanche 24 juillet ; 21 h 00 ; France-Inter ; Les Vieilles Charrues.

❷ 1. WWF
Type d'action : protection de l'environnement. *Type d'emploi proposé :* recrutement de nouveaux donateurs. *Formules de contrat et temps de travail :* CDD à temps plein ou à temps partiel. *Contraintes :* du 1er au 31 août 2005. *Qualités humaines demandées :* sensible à la cause, enthousiaste, dynamique, aimant le travail en équipe et le goût du contact. *Lieu de travail :* Paris. *Salaire :* inconnu. *Qui contacter :* 01 41 16 77 77 (lundi au vendredi entre 10 h 00 et 16 h).

Médecins du Monde
Type d'action : soins aux populations (les plus vulnérables). *Type d'emploi proposé :* recrutement de nouveaux donateurs. *Formules de contrat et temps de travail :* CDD à temps partiel ou à temps plein. *Contraintes :* du 30 juin au 28 juillet 2005. *Qualités humaines demandées :* sensible à la cause, aimant le travail en équipe et le goût du contact. *Lieu de travail :* Paris (lieux publics). *Salaire :* 11,10 €/heure (primes incluses). *Qui contacter :* ONG-Conseil au 01 45 89 12 94.

Aide et action
Type d'action : développement de l'éducation. *Type d'emploi proposé :* recrutement de nouveaux donateurs. *Formules de contrat et temps de travail :* CDD à temps partiel ou à temps plein. *Contraintes :* du 13 juin au 12 juillet 2005. *Qualités humaines demandées :* sensible à la cause, aimant le travail en équipe, enthousiaste, dynamique. *Lieu de travail :* Paris (lieux publics). *Salaire :* 11,10 €/heure (primes incluses). *Qui contacter :* ONG-Conseil au 01 45 89 12 94.
2. Gilles : Aide et Action, du 13 juin au 12 juillet, à temps complet.
Alix : Médecins du Monde, du 30 juin au 28 juillet, à temps partiel.
Vous : WWF, du 1er au 31 août, à temps complet.

❸ **1.**

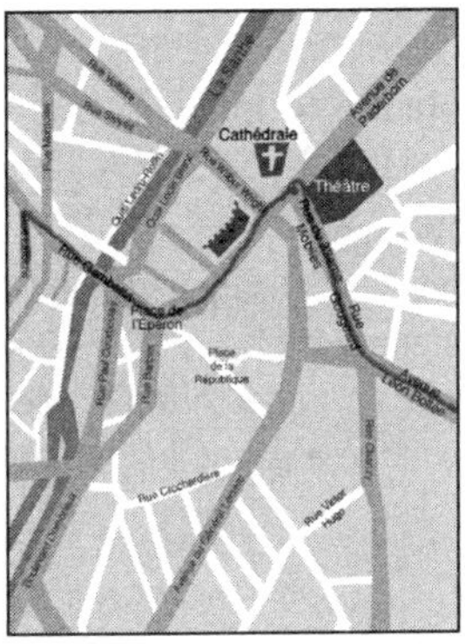

2. a) Au mois de mai. **b)** 450 euros. **c)** À toute heure le 7 juin.
d) À gauche de la porte. Le numéro de code est le 5260. **e)** Le 14 juin à 10 h (*a priori*).
f) Je reprends les étapes indiquées pour l'ouverture. **g)** Appeler Bruno et Véronique au 06 06 77 12 99.

❹ **1.** *Destination:* Barcelone. *Prix du vol:* 105 euros. *Type de l'hôtel:* 4*. *Prix de la nuit d'hôtel:* 66 euros. *Location voiture:* /.
Destination: Madrid. *Prix du vol:* 105 euros. *Type de l'hôtel:* ?. *Prix de la nuit d'hôtel:* ?. *Location voiture:* /.
Destination: Rome. *Prix du vol:* 143 euros. *Type de l'hôtel:* ?. *Prix de la nuit d'hôtel:* 61 euros. *Location voiture:* /.

2. *Prix du vol:* ?. *Destination:* Amsterdam. *Type de l'hôtel:* 3*. *Prix de la nuit d'hôtel:* 59 euros. *Location voiture:* /.
Prix du vol: 143 euros. *Destination:* Rome. *Type de l'hôtel:* ?. *Prix de la nuit d'hôtel:* 61 euros. *Location voiture:* /.
Prix du vol: 105 euros. *Destination:* Barcelone. *Type de l'hôtel:* 4*. *Prix de la nuit d'hôtel:* 66 euros. *Location voiture:* /.

3. *Destination:* Barcelone. *Prix du vol A/R, départ vendredi, retour dimanche:* 105 euros.
Frais d'hébergement: 66 x 2 = 132 euros. *Total:* 105 + 132 = 237 euros.
Argument 1 : c'est le moins cher, il reste donc 23 euros pour s'acheter des sandwichs.
Argument 2 : Rome aurait pu convenir car le budget n'aurait pas été dépassé, mais on ignore le type d'hôtel.

❺ **1. a)** Métro, vélo, bateau. **b)** Métro, autobus, voiture, bateau. **c)** Métro, autobus, voiture, vélo. **d)** Métro, autobus, voiture, bateau. **e)** Métro, autobus, vélo, bateau.
2. a) *On ne sait pas.* **b)** Métro. **c)** Bateau. **d)** Croisière en bateau, commentaire : départ quai d'Orsay.
3. Jour de rendez-vous : samedi ou dimanche. Lieu de rendez-vous : quai d'Orsay. Heure de rendez-vous : 9 h 00. Temps de transport : 3 h. Prix : 10 euros par personne. Heure approximative d'entrée à la Cité : entre 12 et 14 h. Heure maximale de sortie de la Cité : 18 h 00 le samedi, 19 h le dimanche.

Lire pour s'orienter, lire pour s'informer, p. 52-55

❶ ➤ **1re partie**
Au-dessus du titre : Conseil de quartier Mairie de Paris – pour indiquer l'origine du document. Titre : Gazette de Bercy. Sous le titre : Le magazine du conseil de quartier – N° 9 – Printemps 2005 – gratuit – pour informer le public sur le type de document (magazine), le nombre de numéros déjà parus et celui que porte ce document, la périodicité (saisonnière), la gratuité. Rubriques présentées : Cinémathèque, les Animations du Conseil, Hep Taxi ! et Musée des Arts forains.
À noter : qu'il s'agisse de la première page d'un journal ou d'un magazine, le lecteur doit être rapidement capable d'identifier les points d'information.

➤ **2e partie**
1. Une personnalité s'est déplacée. **2.** *On ne sait pas.* **3.** Oui. **4.** Vrai. **5.** 4. **6.** *On ne sait pas.*
7. Le public. **8. a)** Faux. **b)** Vrai. **c)** Faux. **d)** *On ne sait pas.*
9. a) Faux. **b)** Vrai. **c)** Vrai. **10.** Une salle de musée. **11.** 1 800 m^2. **12.** Les passionnés de magie.

❷ **1.** Annie. **2.** Collègues (de travail). **3.** Le théâtre.
4. D'aller voir une pièce (*Le Dindon*) dans laquelle elle joue. **5.** 3
6. Que l'ADAC occupe un pavillon situé 11 place Nationale, Paris, 13e. ADAC signifie : Association pour le développement de l'animation culturelle.
7. La Comédie française. **8.** Françoise Kerver. **9.** *On ne sait pas.* **10.** 12 €. **11.** Métro (et bus).

Lire pour s'informer, p. 56-57

❶ **1.** Les jeunes Européens de 15 à 24 ans. **2.** Télévision : ↘. Radio : ↘. Internet : ↗.
3. Internet : 24 %. Radio : 27 %. Télévision : 31 %. **4.** Télévision : 31 %. Radio : 27 %. Internet : 24 %.

❷ **1.** Le Challenge orientation des villes d'eau. **2.** Lasouche et Wenger.
3. Date : samedi 27 août 2005. Type d'épreuve : course d'orientation. Localisation : Châtel-Guyon. Lieu de départ : haut du calvaire. Lieu d'arrivée : vallée du Sans-Souci. Longueur du parcours : 10 km. Particularités du relief : plat et côtes. Particularités du milieu : en milieu naturel et en milieu citadin. Meilleur temps : 1 h 30. Wenger a gagné la course. Lasouche est arrivé second. Lasouche a gagné le challenge.
4. Orienteur. Coureur.

Vers l'épreuve, p. 58-65

❶ **1.** Informatif **2.** Le 10 mars 2005 (jeudi soir en *prime time*). Marianne James a contesté le système de vote mis en place par la production. **3.** Trouver de nouveaux talents.
4. Oui, des exemples nous sont donnés. **5.** Pour sa liberté de parole.
6. n'est pas toujours d'accord avec son entourage. **7.** en désaccord.
8. font sans doute partie de l'équipe du jury. **9.** Faux.
10. Benjamin Castaldi ne s'attendait pas du tout à ce qui est arrivé.
11. Faux. **12.** 15. **13.** 10 (15 – 5). **14.** Un par groupe de trois. **15.** tout à fait déséquilibrée.
16. des bons ou des moyens. **17. a)** Vrai. **b)** Faux. **c)** *On ne sait pas.*

❷ **1.** D'une interview. **2.** Au grand public. **3.** La musique.
4. Oui. Justification : il répond lui-même au téléphone.
5. a) Oui. Justification : il se rend au concert tous les soirs. **b)** Oui. Justification : flamme dans les yeux.
c) Non. Justification : il travaille pour trois labels différents (jazz, pop, classique).
6. il a reçu beaucoup de demandes. **7.** Lors du Bose Blue Note Festival. **8.** étonnants.
9. Son jugement. Son courage. Sa patience. **10.** Non. Justification : certain délai. **11.** à court terme.
12. La loi du marché. **13.** La télévision. **14.** succès sans lendemain.

❸ **1. a)** Vrai. **b)** Faux. **c)** Vrai. **d)** Vrai.
2. Lundi 30 mai, à 14 h, au Sénat. **3.** Avoir entre 10 et 16 ans. **4.** Faux. **5.** Vrai.
6. a) Acteur. **b)** Animateur. **c)** Animateur.
7. Sensibiliser les jeunes à son combat. **8.** Promesse pour la Planète.
9. Partager des valeurs. Adopter un comportement responsable.

❹ **1.** des disparitions d'enfants. **2.** Les États-Unis.
3. Un enfant de 9 ans disparaissait (il n'a jamais été retrouvé).
4. Environ 3 ans. **5.** *On ne sait pas.* **6.** Non.
7. a) Les pouvoirs publics. **b)** Le 1er octobre 2004. **c)** 0810012014.
8. Mise en place d'un dispositif d'écoute, d'information et d'orientation. Moyens plus importants mis à la disposition des forces de l'ordre pour retrouver l'enfant disparu.
9. Non. **10.** Il existe déjà une ONG servant de passerelle entre les victimes et les enquêteurs.
11. L'union fait la force.

❺ **1.** Des dangers concernant la protection du littoral.
2. Document 1 : la suite de l'article attend le lecteur en page 11 (article de presse). **Document 2 :** on invite le lecteur à suivre la série d'émissions sur France 5 (TV).
3. Le document 2.
4. Dès 2025, il restera peu de littoral protégé en France. En 2035, on peut penser que les seules zones de littoral protégées sont celles qui ont été acquises par le Conservatoire du littoral.
5. Didier Quentin (député UMP).
6. Le Conservatoire du littoral. Le Secrétariat général de la mer. Milieux spécialisés (parmi lesquels l'IRD, Ifremer).
7. Du fait de l'homme : Activités portuaires ou de construction navale ; pêche et transformation du poisson, ostréiculture ; l'apparition du tourisme, et surtout sa massification, a fait exploser la demande ; urbanisation, bétonnisation (document 1).

Immobilier à outrance ; développement industriel ; vie insulaire (document 2). Problèmes cités dans les documents 1 et 2 : urbanisation (immobilier) et développement industriel (construction navale).
Du fait de la nature : Érosion, ensablement, instabilité (document 2).
8. L'urbanisation (le développement des villes au détriment de la campagne ou du littoral). Justification : bétonnisation (document 1) et pression immobilière (document 2).

Exemple d'épreuve, p. 66-68

➤ Exercice 1

	Prix chambre pour 2 pers.	Commentaires (points forts puis points faibles portant sur le prix et le degré d'éloignement)
1	B.S. : 130-266 € Petit déjeuner : 17 €	• Très bien placé • Très cher
2	B.S. : 65-70 € Petit déjeuner : 8 €	Prix correct Un peu loin des cinémas
3	B.S. : 65-75 € Petit déjeuner : inclus	Bien placé (entre cinémas et plage) Prix correct
4	B.S. : 57-66 € Petit déjeuner : 6,80 €	Un peu loin Prix correct
5	31-50 € Petit déjeuner : 6 €	Assez bien placé Pas cher

1. Le Castel fleuri - du 8 au 10 juin
2. 65 euros
Justification du prix :
R. 32,50 € /nuit (une trentaine d'euros)
2 nuits = le prix d'une puisque la chambre est partagée : 65 : 2 € = Petit-déjeuner = inclus

➤ Exercice 2
1. Aux lecteurs aimant la littérature. **2.** Oui. **3.** La décoration, l'ambiance, les tons.
4. À la Belle époque. **5.** Respectueux. **6.** Faux. **7.** Vrai.
8. a) *On ne sait pas.* **b)** Faux. **c)** *On ne sait pas.* **d)** Vrai.
9. a) Faux (la route tournante de ses rayons). **b)** Vrai (le soleil me désignait). **c)** Vrai (cimes, crêtes, avalanche). **d)** Faux (il vient se mettre à l'abri, après une promenade).
10. Vrai (le lavabo, le lit, la malle).

Production écrite, p. 71

Capacité à présenter des faits, p. 74

« C'était un dimanche après-midi à New York. *Il faisait très chaud.* Nous nous promenions sur le pont de Brooklyn avec des amis qui étaient venus nous rendre visite. *Nous ne nous étions pas vus depuis longtemps.* Nous admirions la vue et échangions nos impressions sur les gratte-ciel qui nous entouraient. *Des milliers de vitres reflétaient un soleil de plomb.* Soudain ma fille m'a tirée par la main. Elle insistait pour me montrer quelque chose. Nous nous sommes retournés et nous avons vu une femme simplement vêtue d'un maillot de bain qui marchait très lentement comme si elle était à la plage. *Nos amis étaient médusés. Il n'y avait qu'à New York qu'on voyait des choses pareilles.* »
Cause : peut-être que cette femme avait fait un pari ou bien qu'elle était mannequin.
Conséquence : à la sortie du pont, la police l'attendait pour la ramener chez elle.

LETTRE DÉCRIVANT DES ÉVÉNEMENTS OU RENDANT COMPTE D'EXPÉRIENCES ET FAISANT PART DE VOS SENTIMENTS, p. 75

2. Chère Hélène,
Cela fait six mois **que** je suis rentrée d'Australie **et** je n'arrive pas à me réhabituer à la vie parisienne. La qualité de vie est vraiment meilleure à Sydney. **D'abord** il fait presque toujours beau. **Même** en hiver le ciel est généralement d'un bleu intense, la lumière éclatante et il peut faire aussi doux qu'à Paris au printemps. **Ensuite** les gens sont en général moins stressés qu'à Paris. On se parle dans la rue **ou** dans les transports en commun. On se retrouve sur la plage **ou** dans les parcs pour pique-niquer ou faire des barbecues. C'est plus simple que de recevoir à la maison.
Pourtant c'est difficile de se sentir si loin de son pays d'origine. **Au début** je n'avais pas le moral : la famille et les amis me manquaient. Les vieilles pierres, les petits villages, les champs entourés de haies, tout cela me manquait. Mais **peu à peu** on s'habitue et on apprécie les grands espaces, les plages sauvages, les forêts tropicales, les déserts... Cette nature encore vierge dans la plupart du pays et qui n'existe plus en Europe.
Mais heureusement ici j'ai retrouvé mes amis et c'est une consolation. Il ne faut plus que je t'ennuie avec mes souvenirs. J'espère te voir bientôt. Peut-être aux prochaines vacances ?

3. Chers parents,
Il m'**est arrivé** quelque chose d'extraordinaire hier. J'**étais** sur le quai en train d'attendre le métro quand tout à coup une jeune femme s'**est approchée** de moi. Elle **avait** un air familier mais je ne **pouvais** pas mettre de nom sur son visage. Elle **riait** de me voir hésiter ainsi et **a fini** par me dire le nom de l'école primaire où nous **allions** lorsque nous **étions** enfants. J'**ai alors su** que c'**était** Candice, qui m'**amusait** tant quand j'étais petite car elle **avait** une très grosse voix et ne **pouvait** s'empêcher de bavarder. La maîtresse **savait** toujours qui **parlait** même quand elle **avait** le dos tourné. Mais comme Candice **était** très bonne élève, on lui **pardonnait** facilement.
Comme nous n'**étions** pas vraiment pressées ni l'une ni l'autre, nous **sommes allées** dans un café pour prendre le temps de nous retrouver.

ÉCRIRE UN ARTICLE DE JOURNAL, p. 84

Louer gratuitement un logement à un étudiant en échange de services

Des seniors disposent parfois de locaux spacieux et souffrent de solitude, tandis que de nombreux étudiants sont en quête de chambres de plus en plus chères et rares. Pourquoi ne pas rapprocher les deux populations ? Cette initiative, qui existe depuis dix ans à Madrid et à Barcelone, a fait à la rentrée universitaire 2004-2005 une timide apparition en France.

Le principe est simple : le senior doit fournir une chambre confortable et permettre l'accès à sa salle de bains et à sa cuisine. En contrepartie, l'étudiant accepte de rendre quelques services, qui vont de la simple présence la nuit à des obligations plus contraignantes : faire quelques courses, promener le chien, partager le dîner. Des associations se chargent de sélectionner les candidats seniors et étudiants, puis de formaliser l'accord.

Anne-Marie, magistrate à la retraite, octogénaire élégante et dynamique, accueille dans son appartement cossu, situé près du parc Monceau à Paris, Loretxu (23 ans), étudiante en mastère de neurosciences. « Je déteste une maison vide. Je trouve les soirées et fins de semaine trop longues, surtout quand le froid empêche de sortir. Loretxu anime l'appartement de sa jeunesse », explique-t-elle.

Le soir, chacune prépare son plateau pour le repas, qu'elles prennent ensemble dans le petit salon en bavardant. « Fille de viticulteur, Loretxu m'a fait découvrir le vin et les fromages du Pays Basque. Nous échangeons aussi nos journaux ; je vais même jusqu'à lire la revue de son association de commerce équitable ! », poursuit Anne-Marie. De son côté, elle a expliqué à la jeune fille la nouvelle loi sur le divorce. Cette présence amicale ramène Anne-Marie au temps où ses enfants étaient étudiants.

Les appariements sont parfois délicats à réaliser. « Il faut rendre visite aux seniors, s'assurer qu'ils sont valides, inspecter le logement, recevoir les étudiants, les questionner sur leur mode de vie, leur famille, l'image qu'ils se font du troisième âge », expliquent Aude Messean et Bénédicte Chatain, fondatrices de l'association Le Pari solidaire, l'un des organismes qui tentent de promouvoir ce nouveau mode de cohabitation.

Le contrat délimite les engagements réciproques : repas pris en commun préparés par l'étudiant(e) mais payés par le senior, droit de recevoir des visiteurs. Il sert aussi de garde-fou pour éviter que l'étudiant ne soit corvéable à merci. Tout ce qui n'est pas écrit est négocié de gré à gré.

Production orale, p. 89

SE PRÉPARER À L'ENTRETIEN INFORMEL (étape 1), p. 93-96

Parler de ses projets, p. 93

❶

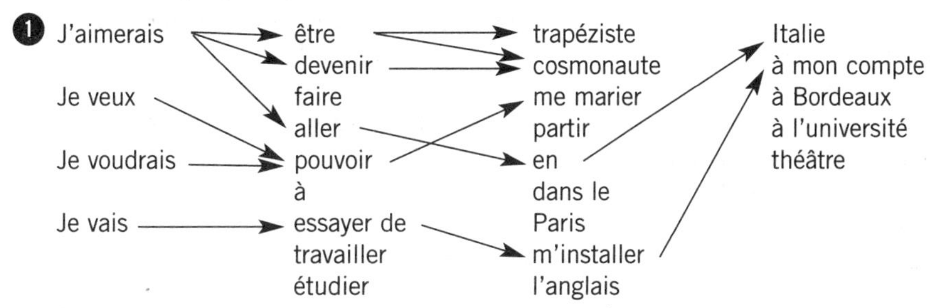

(Beaucoup d'autres relations sont possibles mais pas toutes !)

Parler de son passé, p. 93

❷ J'allais/nous allions à la pêche.
Je ne regardais/nous ne regardions jamais la télé.
Je faisais/nous faisions du vélo.
Je lisais/nous lisions beaucoup.
Je nageais/nous nagions souvent.

❸ *Quand j'étais jeune, dans mon pays les gens* n'avaient pas la télévision. Ils travaillaient beaucoup, souvent dans des conditions difficiles et ils ne gagnaient pas beaucoup d'argent. Par contre les villes étaient moins polluées car il y avait moins de télévisions. Nous partions parfois à la campagne en train ; il fallait deux ou trois heures pour faire un voyage que l'on fait aujourd'hui en moins d'une heure, mais c'était très agréable.

❹ Quand **j'étais** enfant, nous **vivions** à la campagne. Mes parents **faisaient** leur commerce avec les produits de la ferme et mes frères et moi nous **jouions** dans la nature.
En 1997, je **suis parti(e)** à l'université à Paris et je **me suis installé(e)** dans un petit appartement.
J'**ai étudié** pendant cinq ans. J'**ai eu** mon diplôme en 2002 et je **suis rentré(e)** chez moi.
Attention au « e » final si c'est une fille qui écrit. Ce « e » final ne se prononce pas.

❺ **1.** Naître. **2.** Mourir. **3.** Sortir. **4.** Entrer. **5.** Partir. **6.** Aller. **7.** Venir. **8.** Monter. **9.** Descendre. **10.** Rester. **11.** Arriver. **12.** Retourner. **13.** Passer. **14.** Tomber. **15.** Tous les verbes en se + verbe ou s' + verbe (verbes pronominaux). Ex. : se lever, s'aimer.
Rappel: des dérivés de ces verbes se conjuguent aussi avec être : revenir, devenir, rentrer...

❻ **1.** Elle est née, elles sont nées. **2.** Elle est morte, elles sont mortes. **3.** Elle est sortie, elles sont sorties. **4.** Elle est entrée, elles sont entrées. **5.** Elle est partie, elles sont parties. **6.** Elle est allée, elles sont allées. **7.** Elle est venue, elles sont venues. **8.** Elle est montée, elles sont montées. **9.** Elle est descendue, elles sont descendues. **10.** Elle est restée, elles sont restées. **11.** Elle est arrivée, elles sont arrivées. **12.** Elle est retournée, elles sont retournées. **13.** Elle est passée, elles sont passées. **14.** Elle est tombée, elles sont tombées. **15.** Ex. : elle s'est levée, elles se sont levées.

Parler de ses passe-temps, p. 95

2 **Golf :** Faire du golf, Aller sur le green. **Équitation :** Monter à cheval, Faire de l'équitation.
Peinture : Peindre. **Sieste :** Dormir, Se reposer, Faire la sieste, Roupiller (fam.).
Bricolage : Bricoler. **Lecture :** Lire, Bouquiner (fam.).
Promenade : Se promener, Se balader (fam.). **Baignade :** Aller faire trempette, Nager, Se baigner.

3 – **Où êtes-vous né(e) ?**
– Je suis né(e) en Italie. À Rome.
– **Et maintenant, où habitez-vous ? Encore à Rome ?**
– Oui, absolument, j'y habite encore. J'habite près du Forum, dans le centre de la ville.
– **Qu'est-ce qui a changé à Rome ?**
– C'était une ville moins polluée qu'aujourd'hui. Il y avait moins de monde aussi.
– **Vous aimez cette ville ?**
– Bien sûr. J'y ai des souvenirs formidables. Les glaces que nous mangions quand nous sortions de l'école, les parties de football dans la rue. Aujourd'hui, tout cela serait impossible.
– **Qu'est-ce que vous faites ?**
– Je travaille dans un cabinet d'architecte. Je suis en train de construire un nouvel hôpital pour la ville.
– **Et vous avez des projets ? Pourquoi étudiez-vous le français ?**
– Je voudrais me spécialiser en France. J'aimerais aller à Paris.
– **Vous y êtes déjà allé(e) ?**
– Évidemment, on ne peut pas être architecte italien et ne pas connaître cette ville !
– **Vous pensez y rester longtemps ?**
– Je ne sais pas encore. Si tout va bien j'y resterai peut-être un ou deux ans.

SE PRÉPARER À L'EXERCICE EN INTERACTION (étape 2), p. 96-100

Se justifier, p. 96

1 – Bonjour monsieur, police nationale. Vos papiers, s'il vous plaît.
– Bonjour monsieur l'agent. J'ai fait quelque chose de mal ?
– Vous avez brûlé le feu rouge, monsieur !
– Moi ? Mais pas du tout. Le feu était vert !
– N'insistez pas monsieur. Je vais vous verbaliser.
– Monsieur l'agent, vous faites erreur. Je suis sûr que je suis passé au vert.
– Non monsieur, il était rouge. Je vous ai vu.
– Écoutez, j'arrivais de la rue Victor-Hugo, je roulais lentement et je vous dis que je suis passé au vert. Je l'ai vu.
– Et moi j'ai vu le contraire ! Allez, descendez et soufflez dans le ballon !
– C'est injuste.
– Attention à ce que vous dites. Vous pourriez avoir d'autres problèmes...

2 4.

Protester, se plaindre, p. 97

1 – Bonjour monsieur. J'ai un problème avec ma facture. Pouvez-vous m'aider ?
– Je ne suis pas d'accord. J'ai dormi ici deux nuits et pas trois.
– Vérifiez vos fiches d'inscription. Vous verrez que j'ai raison. Je ne paierai pas trois nuits au lieu de deux.

Se débrouiller, p. 98

1 D – F – C – A – E – G – B

2 – **Je peux vous aider monsieur ?**
– Oui. J'ai un problème ; j'ai perdu ma valise.
– **Sur quel vol voyagiez-vous ?**

– Sur le vol SR 098 en provenance de Lima.
– **Et vous êtes allé la chercher sur le tapis roulant?**
– Oui oui. J'ai attendu à côté du tapis roulant numéro 5, celui qui était prévu pour ce vol, mais ma valise n'était pas là.
– **Bon. Comment est-elle, cette valise?**
– C'est une assez grosse valise bleue en plastique. J'ai le ticket d'enregistrement avec moi.
– **Vous avez mis votre nom sur la valise?**
– Oui, j'ai mis mon nom et l'adresse sur la valise, monsieur.
– **Vous transportiez des objets précieux?**
– Non, il n'y a rien de valeur, mais j'ai tous mes habits, mes affaires de toilette. Comment vais-je faire pendant les vacances?
– **Vous pensez rester en France pendant longtemps?**
– Je reste pendant une semaine. Dans un hôtel à Paris. Sans mes affaires, c'est une catastrophe.
– **Ne vous inquiétez pas. Nous allons vous donner 200 euros pour vos premières nécessités.**
– Dans ces conditions, je pourrai acheter quelques habits. Vous me donnez cet argent aujourd'hui?
– **Dès que vous aurez rempli le formulaire. Et nous vous enverrons la valise à votre hôtel dès que nous la retrouverons.**
– Bon. Je remplis le formulaire et je vous fais confiance. Merci.

SE PRÉPARER AU MONOLOGUE SUIVI, À LA DÉFENSE D'UN POINT DE VUE (étape 3), p. 100-104

1 **1.** d'un article de presse. **2.** du besoin d'autorité des jeunes.
3. les jeunes veulent une autorité juste. **4.** de l'image que les jeunes attendent des adultes.

2 **1. a)** L'opinion libre de Jean sur un forum internet.
b) Comment éviter la pollution par les sacs plastique.
c) Les sacs plastique sont de plus en plus nombreux et nous ne les ramassons pas, ce qui crée une grave pollution.
d) Le manque de conscience de nos concitoyens qui pourraient éviter cette contamination, tout comme les pouvoirs publics et les producteurs ou distributeurs de sacs.

4 **Aimez-vous l'art moderne?**
Pour répondre à cette question, on se doit **en premier lieu** de définir ce qu'est l'art moderne. Je le définirai **pour ma part** par opposition à l'art classique, **ce que** je ferai en me basant sur l'histoire de la peinture.

Bien sûr je ne prétends pas que cette méthode soit la meilleure ou la plus intelligente, **mais** en tous les cas, c'est celle qui me semble la plus parlante.

L'art moderne est né à la fin du XIXe siècle **lorsque** les impressionnistes ont abandonné l'idée de représenter le monde tel qu'il est pour tenter de le peindre tel qu'ils le ressentaient. Cézanne et Picasso poursuivirent **par la suite** cette recherche qui aboutit à l'art abstrait, une peinture où le peintre s'abandonne au plaisir des couleurs et des formes, sans se soucier de figurer quoi que ce soit.

L'art moderne est **ainsi** né d'une volonté de s'affranchir des règles académiques; il a **par conséquent** été critiqué par les tenants de l'art classique. Pourtant, cette opposition a disparu de nos jours, car un siècle a passé. Les musées qui accrochent des toiles abstraites sont légions et certains disent **même** que cet art n'est désormais plus de l'art moderne. L'art moderne élimine en effet la toile au profit de la vidéo, du monde virtuel, ou d'installations qui allient sculpture, nouvelles technologies et peinture.

On le voit, une œuvre n'est moderne que pendant quelque temps. **Après**, elle devient classique. **D'ailleurs** c'est bien ce qui me plaît dans le concept de la modernité **puisqu'**elle suit toujours les générations enterrant aujourd'hui ce qu'elle créait hier. **En conclusion**, vous aimerez l'art moderne si vous savez voir dans le monde d'aujourd'hui. **Et si par hasard** vous n'aimez pas, dites-vous **malgré tout** que ces œuvres que vous dédaignez aujourd'hui pourraient s'apparenter un jour à celles des impressionnistes que vous aimez tant.

Alors, convaincu?

Sujet d'examen, p. 106

Compréhension de l'oral, p. 106

1 **1.** La chaleur. **2.** Cinq. **3.** en Argentine.
4. Il est content de son voyage et content aussi d'être rentré. **5.** Faux.
6. Dans un seul pays du Nord de l'Europe.

2 **1.** la présentation d'une nouvelle invention.
2. se laisser filmer par des caméras reliées à un ordinateur.
3. l'apparence physique que l'on aura cinq ans plus tard.
4. aux personnes qui veulent améliorer leur mode de vie.
5. Il a des doutes sur son succès.

3 **1.** La nature et le calme. **2.** Faux.
3. **Région :** Yukon. **Pays :** Canada. **Taille :** comme la France. **Nombre d'habitants :** 25 000.
4. sont moins nombreux qu'avant.
5. des objets de l'époque des chercheurs d'or.
6. sont isolés, mais contents de l'être.
7. viennent très souvent d'un autre pays ou d'une autre région.
8. **a)** Des étudiants. **b)** Des musiciens. **c)** Des peintres. (Des artistes, des chercheurs d'or.)
9. ne veulent pas qu'on donne une image attirante de leur région.
10. Faux.

Compréhension des écrits, p. 109

1 Ne convient pas : au Centre de langue de Saint-Rémy-de-Provence, l'hébergement ; au Centre de linguistique de Carnac, les spécialités gastronomiques locales. Tout le reste convient.

2 **1.** Le titre devrait comporter une référence à la langue, son évolution, les traces du passé et l'influence du présent.
2. la raison de la survie ou de la disparition des mots ; les caractéristiques de la langue française selon l'endroit où on la parle ; les facteurs divers intervenant dans l'évolution de la langue ; la typologie des aspects de la langue.
3. **a)** Vrai. **b)** Faux. **c)** *On ne sait pas.* **d)** *On ne sait pas.*
4. Faux. *Justification :* La recherche commence par la conquête de la Nouvelle-France et remonte aux origines de la langue situées au Moyen-Âge.
(Cohérence entre réponse et justification indispensable pour l'attribution des points.)
5. **a)** Le Conseil de recherches en sciences humaines du Canada (CRSH).
b) 2,5 millions de dollars. **c)** 5 ans. **d)** Environ 40 (une quarantaine).
e) Diverse (d'un peu partout dans le monde). **f)** Une base de données (textuelles).
g) Identifier l'évolution des *changements* linguistiques et identitaires (et leur contexte).
6. Évolution, raisons de l'évolution permettront de découvrir / mieux connaître / comprendre ceux qui parlaient français au cours des siècles passés.

LISTE DES PLAGES DU CD AUDIO

Achevé d'imprimer en France en avril 2007 par Hérissey (Évreux)
Dépôt légal : 5753/03 - N° d'impression : 104567